全球華人讀者最關心・詢問度最高的150則健康解答

不一樣的自然養生法
實踐100問

Dr.Tom Wu

美國自然療法&營養學博士
吳永志（Dr. Tom Wu）著

原水文化

目錄 不一樣的自然養生法 實踐100問

給讀者的話

前言 認識不一樣的自然養生法

——實踐自然療法之前應用的正確觀

認識作者

實踐不一樣的自然養生法之前

第一章 健康的關鍵

——免疫和自癒系統是世上最好的醫生

血型決定飲食

曬太陽增強人體免疫力

改善甲狀腺疾病

第二章 救命的飲食

——植物生化素是抗癌抗病養生專家

認識植物生化素

選擇蔬果機

救命食材常見問題

〔蔬菜〕

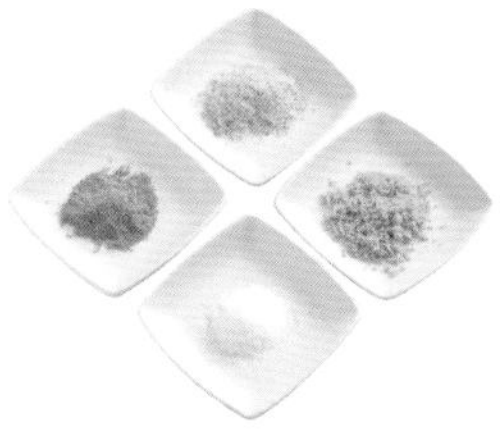

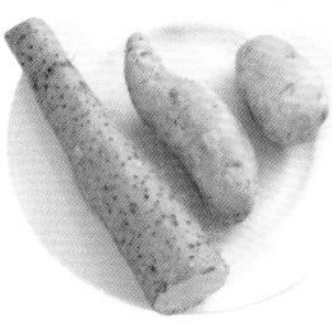

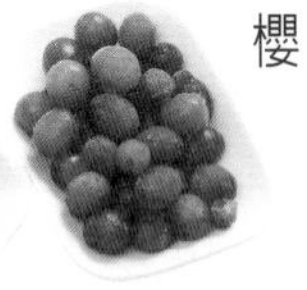

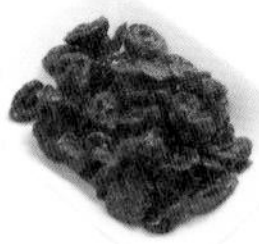

第三章 吳醫師的健康生活處方
——改善體質，就從健康飲食開始！

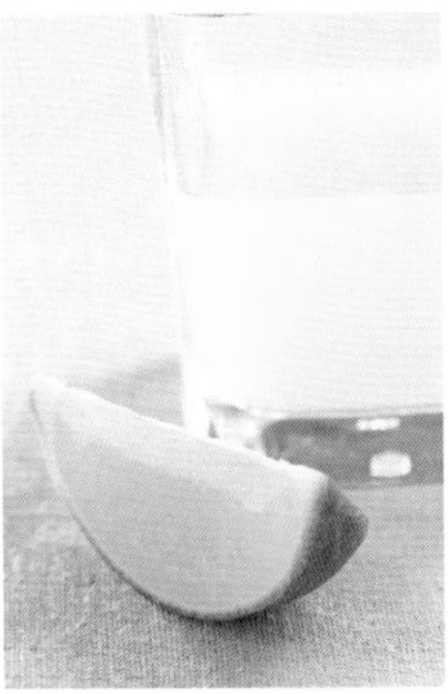

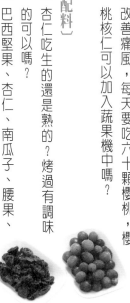

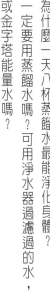

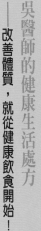

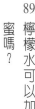

食材選購Q&A

〔蔬菜・辛香料〕

〔水果〕

〔配料〕

日常飲用Q&A

〔飲用前須知〕

〔飲用後症狀〕

〔女性飲用須知〕

各類疾病問題

玉桂粉

〔給讀者的話〕

健康，從每天喝不一樣的養生蔬果汁開始！

吳永志

當初我出版《不一樣的自然養生法》最主要目的，在於將我累積幾十年的經驗分享，讓讀者得以閱讀並努力實踐，就可以帶給自己意想不到的收穫。也爲了能喚起大家對健康的重視，並且了解生病不只是因爲吃錯了，錯誤的生活習慣也是原因之一，因而我極力推廣此套防病、防癌的自然養生法，期盼讓人人得以健康快樂。

而此書上市後引起的熱烈迴響及生機飲食的盛行，也證明了大家都想要一種簡易實行的健康之道。透過這本書，知道病從口入的道理，也知道只有回歸大自然，吃全營養的蔬果，才能重回健康。因爲蔬果中蘊藏著神所給的治病、防病、防癌、防老的要素，便是植物生化素。要如何把蘊藏在蔬果纖維內的植物生化素釋放出來，我在這本書上已提供了答案。

衷心祈求這幾十萬追求健康的讀者，看完這本書後都能付諸行動、重獲健康，矯正心靈。不只努力自己的事業，也爲社會盡點自己的善心，並推廣健康之道。

最讓我高興的是，出版這本書之後，收到許多讀者傳電郵來報喜，例如：

- 我幾近白髮的母親，在短短幾個月內，白髮都變成灰色，全家都很高興，也跟著您的蔬果汁食譜，實踐起來……
- 幾十年的高血糖，天天靠著藥物控制，直到照著書中的蔬果汁食譜，就下降到正常的指數，跟醫師討論後，就不用再服藥了……
- 我的血壓已降到不用再服高血壓藥了……
- 我今年二十六歲，但經期一直不準，有時遲遲不來，喝了書中蔬果汁，現在又正常了，眞高興……
- 類風溼幾十年的痛苦，吃藥都不好，喝了幾個月的蔬果汁食譜就改善了，眞是很感謝……
- 我的朋友有很嚴重的過敏症狀，我將《不一樣的自然養生法》送給他，他只喝了二個月的蔬果汁，過敏症狀就改善了不少。

・幾十年的便祕，只靠藥物才能勉強每週有一次的我，跟著書中每天飲食的建議實行，沒想到短短二個月，每天就很容易有二次排便，希望不久的將來，一定能達到您要求的每天三次。

・我長年手腳的冰冷，跟著書中的飲食和洗冷熱浴，不到一個月，手腳都溫暖起來了，也不再怕太冷。

・感謝吳博士的幫助，我每天努力實行冷熱浴、快走及喝蔬果汁，眞的改善了我乳癌症狀……

・我是台北的讀者，因爲蔬果汁及飲食調整，讓我得以對抗我的癌細胞，眞的是太感謝吳博士了……

・結婚已經八年都無法懷孕，而且經期來時都有很多硬塊，喝了幾個月的卵巢保健蔬果汁，讓我改善了身體，也讓我重燃懷孕的希望……

還有很多很多的讀者回函，讓我看了眞的很開心，不停地感謝神的恩典和聖靈的帶領，讓看了這本書的讀者都能得益，帶給每個人健康。也因為讀者的認眞執行，善待自己的身體，也才能讓健康找上自己。

此書中的蔬果汁，大多用為保健防病、防癌、防老之用，不管你是老人家、年輕人或小孩子，只要是平時常感覺疲倦、無精打采、總是不舒服，或常感冒發燒，常生病，都可以試試將生活飲食習慣按照書中的建議去改變，和每天試喝四杯以上的相關蔬果汁，就能漸漸的改善自己的身體。

只要你肯給身體一個機會，供應足夠的全營養食物和植物生化素，讓免疫和自癒系統有足夠的材料來修補，恢復正常的功能，你就能有機會重拾已失的健康和精力。

▲我每天喝蔬果汁，強壯自己的免疫和自癒系統。

但如果已經有很嚴重的疾病時，就應該立刻請求當地專業的醫師治療，不可延誤，並同時飲用依個人體質所設計的蔬果汁及搭配目標營養品，三管齊下，可能收到更好的效果，才是最上策的方法。如果罹患嚴重疾病時，一定要用清醒的頭腦，理智分析後再決定未來的康復之路應該怎麼走，千萬不要亂了陣腳。而《不一樣的自然養生法》書中的實例見證個案，也都是經過個人設計的蔬果汁食譜，和所需的目標營養品後才漸漸重回健康。

所以除了聽從醫生的建議外，病友們也應該立刻改變生活飲食習慣。問問自己：爲什麼會生病？是不是天天吃進了很多的化學毒素，累積了十年、二十年，在體內無法排出，才讓自己走向疾病？所以在決定跟隨醫師治療的同時或更早之前，一定要給身體一個機會，做個體內大掃除，飲用特製蔬果汁，一個月或二個月，或四個月也好。讓自己有機會進行身體大掃除，就能將體內的毒素降下，給免疫和自癒系統有時間鬆口氣，吸收更多的營養、酶素和植物生化素，來幫助醫師建議的治療。

這段時間，除了讀者的感謝信外，也有很多讀者看了書後，產生很多疑慮，急切的想得到解答。但因為我和夫人經年累月到世界各地演講或授課，離家就是一個星期、一個月或二個月不定，因此時間上很難配合，為此我真的感到抱歉，也希望沒收到回答的讀者，用寬恕的胸懷體諒，我們已經盡最大的力量，一有時間便答覆你們的問題。

也因為這樣，我決定寫這本《不一樣的自然養生法：實踐100問》，來回答讀者的疑問，讓讀者能清楚明白這套養生法的重點，並下定決心的去實踐。

▲願讀者都能給自己身體一個機會，改善飲食及生活，重回健康。

《不一樣的自然養生法》書中的二十四道蔬果汁，都有其個別的效果，就算對你而言不是那麼直接的功效，也不會有不良的反應。例如你的夫人打了乳房保健蔬果汁，你當然也能一起喝，並不用擔心喝了對自己有什麼影響；若是你自己打了攝護腺保健蔬果汁，同樣你的夫人或女兒喝了也不會有什麼壞處。所以為了改善自己的免疫及自癒系統，養成每天飲用蔬果汁，就能讓健康之神敲上門。

我在《不一樣的自然養生法》書中已提醒大家：**世界上不會有只用一種治療方法或吃某種營養品就能把病治好，尤其是癌症，一定要身心靈三方都要注意，還有病人的年齡、體質、代謝狀況，再加上信心、恆心、耐心、自律，只要願意、樂意、善意的去執行，效果必然會有很大的不同。**

並且請讀者要將以前習慣的煎、炸、炒、烤、燒等錯誤的烹調和飲食迷思丟棄，重新閱讀《不一樣的自然養生法》和《不一樣的自然養生法：實踐100問》，去確實執行有助健康的生活及飲食觀念。

我相信，保持一顆喜樂的心，確實的照顧自己的身體，讓你周圍的親朋好友見到你時，都會好奇的問：「你用了什麼保養品，讓自己變得那麼紅潤好看？」

或「你是用了什麼營養品，讓自己變得那麼苗條？」你就可以高興驕傲的大聲跟他說：「我只改變了生活及飲食習慣，並且喝了不一樣的養生蔬果汁。」

也希望藉由這本書，能讓自然醫學更受人重視及接受；也希望生機業界能因此團結起來，提供大家更營養及更有生命的食材。

最後，我要感謝所有購買此書的讀者，因爲你們不只正視自己的健康，也重視親友的健康，不斷推薦給親朋好友，也因爲你們的支持，讓我得以將版稅去幫助世界各地弱勢的兒童及相關慈善教育機構，每一顆愛心種子都有你們的力量。

也祝福各位讀者在未來的生活中，都能永遠健康，平安快樂。

養生筆記

前言

認識不一樣的自然養生法

實踐自然療法之前應有的正確觀

▼自然療法，就是用天然無害的方法改善健康。

速見第20頁

▼90%生食＋10%熟食是健康關鍵。

速見第31頁

▼喝蔬果汁最正確的方法

速見第33頁

認識作者

Q 什麼是自然療法？

A 所謂自然療法，就是使用天然、對身體無害的方法，來幫助人們改善身體不適，進而追求健康。

有很多天然無害的方法，可以達到又簡單又實惠的效果：

・**食療法**：就是使用正確的飲食方法和修正不良生活習慣來改善體質，加強免疫和自癒系統，進而強健身體、改善健康。

也就是用天然無農藥或有機耕種的蔬果、五穀和乾淨的好水，供應身體五臟六腑和免疫自癒系統所需的營養，讓身體能正常的運

▲食療法便是利用天然蔬果，供應免疫及自癒系統的營養。

作，將營養吸收並排泄毒素廢物，達到身體健康。

- **營養療法**：就是使用天然食物補充品（Food supplements），補充天然有機蔬果、五穀的營養和活性礦物質的不足，用來加速身體的自癒力，改善體質重拾健康。

營養補充品多半被已感覺身體不適的民眾所接受，如常頭昏、感冒、消化不良、便祕、憂鬱、心煩等。

- **水療**：可使用冷熱浴、三溫暖、泡溫泉、泡腳等方法，將身體的毒素、重金屬由皮膚排出。
- **有氧療法**：使用運動、快步走路、氣功、瑜珈等，平衡氣息，調整血液循環。
- **天然藥物療法**：就是使用大自然界有藥物療效的植物、動物和礦物來調整五臟六腑，讓

▲平常可利用冷熱浴、泡溫泉，進行水療，但時間不宜太久。

身體慢慢自我改善。

天然藥物療法包括：中醫、漢醫、藏醫、蒙醫、印醫，同類療法等。

- **物理療法**：使用針灸、按摩、推拿、穴壓、足底按摩、脊椎調整，打通經脈、脈絡、神經傳遞以達到經脈暢通及改善血液循環，消除疼痛。
- **身心靈療法**：就是使用祈禱、唸經、默想來平靜心靈，以達到身心靈平衡。

◀養成有氧運動的習慣如氣功、瑜伽可幫助血液循環，時間約十至二十分鐘。

自然療法的療程比起西醫療法時間上總會比較長，但不良的副作用卻較少。每種療法都有其長處和短處，要看你當時的情形而定。

例如有急性疾病如心臟病發作、中風等，西醫便是最理想的療法，因爲西醫有先進的科技儀器用來輸血和手術之用，又有藥物可幫助止血、輸血、降血壓來輔助穩定病情；但一般的慢性病如風濕關節炎、痛風、氣喘、敏感、糖尿病、高血壓、憂鬱症等病症，不是急性病症，也可選用需要較長時間的天然療法，慢慢調理身體。

唯有癌症，雖然是慢性病卻不能等，要立刻徹底改變生活飲食，吸收全營養的蔬果、蔬果汁及補充相關營養品，將血液中的毒素清除。

特別提醒讀者！藥物的使用只在於控制病情，想重獲健康，唯有改變飲食及生活習慣才是治本的方法。因爲病從口入，身體健康與否就取決於食物是否有營養或有害。

▼在忙碌的生活中，可讓自己使用默想、祈禱來平靜心靈。

Q 何謂自然療法醫師？

A

所謂「自然療法醫生」（Doctor of Naturopathy）是指可以使用自然療法的範圍，意即使用天然無害的方式，例如天然的食物、按摩等方式協助人們改善健康。按美國華盛頓特區衛生單位（The Board of Naturopathy）對於自然療法醫生可施行行爲之規定如下：

一個通過本登記註冊的醫師，可以使用「自然療法醫師」（Doctor of Naturopathy）的名義施行自然療法（Naturopathy）來行醫。但一個登記註冊的「自然療法醫師」並不等同於一般認證西醫，也因此並不以科學上原則，針對生理上或心理上的疾病、失調與症狀來施行診斷、治療，或者是施救嬰幼兒或懷孕、分娩中婦女的生命、健康。

因此，我所著作的《不一樣的自然養生法》書中，均提倡怎樣用天然的方法，加強身體的免疫和自癒系統，讓體內系統幫你預防和改善疾病。

Q A 為什麼吳醫師會轉而投入自然療法的領域？

當我在三十歲罹患末期肺癌時，雖然經過了一連串的藥物及開刀治療，但仍是被宣判只有二至六個月的存活期。

在萬念俱灰下，靠著宗教的力量和神給的信仰，我選擇最天然的食譜。當時我天天吃全生的各式蔬菜，尤其是西洋菜、稍微發芽的各種豆類和五穀，及各種顏色的微酸水果和天然乾淨的水。同時保持天天四至五次的排便，和充足的睡眠及運動，徹底改變自己以往不良的飲食及生活習慣。

- 每天只吃全營養的蔬菜及微酸水果（每口細嚼至少三十至四十下）。
- 每天喝六杯以上含豐富植物生化素的蔬果汁（每口細嚼十幾下）。
- 天天小口小口飲用六杯乾淨的好水。
- 每天在強陽光下做二十到三十分鐘的有氧運動（不宜太激烈，也不宜太長的時間）。

- 天天大笑三次，每次九下，用一顆放鬆的心情去面對疾病。
- 每天至少三至四次的排便。
- 多休息，用喜樂的心態調理身體。
- 搭配相關營養補充品。

在六個月時間內，我的氣色、精力大大提升，因此信心加倍，讓我有勇氣繼續維持正確的飲食習慣。

九個月後，成功的對抗癌細胞，生機飲食不僅改善了自己的身體，也讓我轉而推廣天然的生機飲食食譜。

所以我到處去宣導，去幫助需要幫助的人，並加以進修自然療法課程，直到獲得博士學位，也得到美國自然療法醫

▶建議大家每天在強陽光下做二十至三十分鐘的有氧運動，如快步走路。

師執照。

正因爲重拾健康，才知道健康的可貴，讓我下定決心致力於推廣自然療法的理念，幫助大家找回健康，並將此事當作我一生的志業。

因為重拾健康，讓我更重視自己的身體，也致力推廣自然療法的理念。

實踐不一樣的自然養生法之前

Q 關於《不一樣的自然養生法》這本書？

A 這本書是累積幾十年的臨床經驗，書中的實證都是切實按照我提供的特設個人食譜方法（蔬果汁、營養補充品和按摩）而改善健康的。讀者爲了養生保健，都可按照此書提供的飲食、運動及生活習慣，如多吃各種顏色的蔬果，每天喝養生蔬果汁、喝乾淨的水、運動二十至三十分鐘、加強每天排便次數，都可以讓自己的身體慢慢體會健康的活力。

記住，健康就掌握在自己手中，只要保持著信心、恆心及愛心不斷嘗試，就有機會改善身體，重拾健康之鑰。

Q 選擇了自然療法，就不用看西醫嗎？

A 本書出版主要是把我個人多年臨床養生經驗與讀者分享，並使讀者能藉此徹底改變飲食與生活習慣，提供讀者保健防病防癌的參考資料，但絕對不能取代醫療。

建議讀者可以雙管齊下，一方面配合當地專業醫師診治，一方面改善飲食、運動及生活習慣，更要謹記：大多數的慢性病都是長年錯誤的飲食而病從口入。

另外也要再次特別提醒癌症病友，務必遵照醫師指示，切勿延誤！並同時徹底下定決心，改變平常不良的生活及飲食習慣，多喝蔬果汁和食用全營養蔬果，才能眞正改善體質，杜絕病源。

飲食及生活也要盡量保持以下原則：

- 遠離煎炸炒烤燒。
- 遠離含有生長激素的肉類及奶製品。

- 遠離含有非天然、化學添加物的食物。
- 遠離精製粉做的食物，如麵包、麵條、蛋糕、餅乾等。
- 遠離高輻射的電器，如微波爐、電腦、手機等。

在保健上，我建議採用「食療法」中的生機飲食，希望大家選用書中適合自己的蔬果汁，來保健、防病、防癌、防老、排毒、加強免疫自癒系統，根據健康狀況及體質，決定一天飲用的份量（約四至六杯）。

要知道：吸收進去的營養素和植物生化素愈多，就能讓身體的新陳代謝愈快改善，免疫及自癒系統也能加強，老化速度愈容易減緩，身體自然愈健康少病痛。

▲精製粉所做的食物如麵包、麵條等，應減少食用。

Q 健康的關鍵只要喝蔬果汁，就可以了嗎？喝蔬果汁有何注意事項？

A 《不一樣的自然養生法》書中，特別強調養生注重「均衡中庸之道」。我在書中不停地叮嚀讀者，要盡量吃各式各樣不同顏色蔬果的沙拉，就是爲了吸收齊全的營養素。

所以不只喝蔬果汁，還要多吃各種顏色的蔬果，而常見的煎、炸、炒、烤、燒等烹調方式，也盡量避免，因爲過度的烹調都將營養素破壞了，怎能有效達到中庸的飲食目標。

除了喝蔬果汁，依據個人血型，還要吃適量煮熟的無生長激素肉類，水煮熟有機全蛋，稍微發芽

◀除了蔬果汁，每天的飲食內容決定健康的關鍵。

的五穀豆米飯，同時適量的運動和勤喝好水。

養生蔬果汁是提供足夠的全營養和植物生化素，讓免疫和自癒系統能順利的完成保護和修補的功能，並將殘留在血液中幾十年的毒素慢慢地排出體外，而各式的全生沙拉和少量煮熟的食物，用來補充一天所消耗的體能，讓身體的五臟六腑能完成每天正常的運作，並有足夠的精力完成一天的生活起居。

而我個人日常的食譜，除了六杯蔬果汁，都掌握百分之九十生食和百分之十的熟食，就是採取以上所說的中庸之道。

但要如何喝蔬果汁，可是有學問的。有以下幾點請務必配合，才能喝出效果：

・**細嚼蔬果汁**——喝蔬果汁時，一定要慢慢地

▲我日常的飲食中庸之道，便是掌握百分之九十生食和百分之十的熟食。

喝，每一口綿綿細碎的養生蔬果汁，都要停在口中慢慢細嚼十幾下才吞下，讓你的大腦知道你現在正在喝什麼材料的蔬果汁，才能指揮相關的器官，分泌相關的酶素來分化，消化和吸收營養素和植物生化素。否則喝太快就會容易脹氣，肚子就會產生咕嚕的聲音，不舒服、也不消化。

或者開始時，你可以先喝一小杯，一小口一小口慢慢的喝，再一步一步增加到有改善作用的三至四杯，或有返老還童作用的五至六杯。

● **盡量維持每天飲用蔬果汁習慣**——如果是慢性病患者，除了每天喝四至六杯蔬果汁是不夠的，還要徹底地改變生活習慣，並且執行書中的飲食方法，才能達到效果；而養生保健的讀者，也要盡量維持每天飲用蔬果汁的習慣，才能提升免疫及自癒系統。

◀ 喝蔬果汁最正確的方法，就是在口中慢慢細嚼十幾下，讓大腦因此分泌酶素分化，幫助消化及吸收營養。

Q 什麼是生機飲食？

A 我所定義的生機飲食，便是吃有生命、全營養、沒有用農藥、沒有添加防腐劑的天然或有機蔬菜、水果、五穀豆類；沒有打賀爾蒙和抗生素的肉類，都可以叫做「生機飲食」。

例如一罐有添加防腐劑的罐頭玉米，和一包營養不齊全的麥片，都不屬於生機飲食的食物；但一條新鮮淨水煮熟的天然玉米或有機玉米，和一碗用新鮮燕麥米煮熟的粥，就是生機飲食的食物。

我的自然養生之道，便是「百分之九十生食和百分之十熟食，所有食物來源均以生機飲食爲首要」。

利用這自然養生的「生機飲食」，得到更多的營養，並配合三至六杯的養生蔬果汁，以達保健、防病、防癌、抗老之用。

Q 生機食材怎麼選購？有相關認證嗎？

A 選購生機食材時要注意：

- **葉菜類蔬菜注意新鮮外觀**——葉菜類蔬菜挑選時，要選新鮮、葉子挺直有力、顏色鮮艷的；並避免葉子已經變黃，或是軟弱下垂，莖部無力的葉菜類蔬菜。
- **根莖類蔬菜注意有無發芽**——挑選根莖類蔬菜時，要購買沒有青色、沒有發芽、按下去時硬實，不會過軟無彈力。因爲含有青色或發芽的根莖類蔬菜，都可能含有劇毒的龍葵鹼（Solanine），吃了會使身體不適或酸痛。

▲選擇生機葉菜類蔬菜時，要注意葉片是否挺直有力，顏色鮮綠。

在美國，生機食材可以分爲兩種：

- 食材上有政府發給的「有機Organic」標記，就表示是用天然有機耕種的方法，沒有用農藥、殺蟲劑和任何化學藥物的食材。而且有時葉子和根部上有被蟲子咬過的小洞，也可證明是沒有用殺蟲劑的記號。
- 每星期有一天開放的農夫市場，就沒有提供「有機」標記了，只能靠消費者與商家彼此的信任度，因爲小農場付不起「有機機構」驗證的費用和層層手續。

所以挑選時，可以看看葉子有沒有被蟲咬過的小洞，也可以判斷到底有沒有施加農藥。

因爲各地規定不盡相同，想了解當地的生機認證情況，可以洽詢各政府機關的農業委員會。

（編註：關於台灣的有機認證可參考行政院農委會的說明http://www.coa.gov.tw）

Q 生機食材為什麼價格昂貴？

A 因爲供不應求的自然貿易現象，價錢自然上揚。而且成本較高，有機食材體積較小且輕，加上保存期限短，存放架上的時間比較短，因此在通路及製作成本上都會較高。

表面上雖然生機食材比較昂貴，但科學的研究也證明，生機食材可供應更多的營養素又比較便宜。

例如，一打有機蛋的價錢，可能是一打商業蛋的兩倍，但有機蛋的卵磷脂（每個約有一千五百毫克），比商業蛋（每個約一百七十毫克）多近十倍。而卵磷脂可以增加腦細胞功能、肝臟功能、降膽固醇、修補細胞膜等功效。

如果想要得到同樣功效，要吃十個商業蛋才比得上一個有機蛋，所付出的價錢實際上是有機蛋的五

◀商業蛋的卵磷脂含量比有機蛋低，而且每顆蛋約有二百二十毫克的膽固醇。

倍，反而貴過有機蛋。

更不用去討論，如果吃十個商業蛋，可能高達十倍的膽固醇（每顆蛋約有二百二十毫克的膽固醇），也會帶給身體健康上的負擔和危險性。

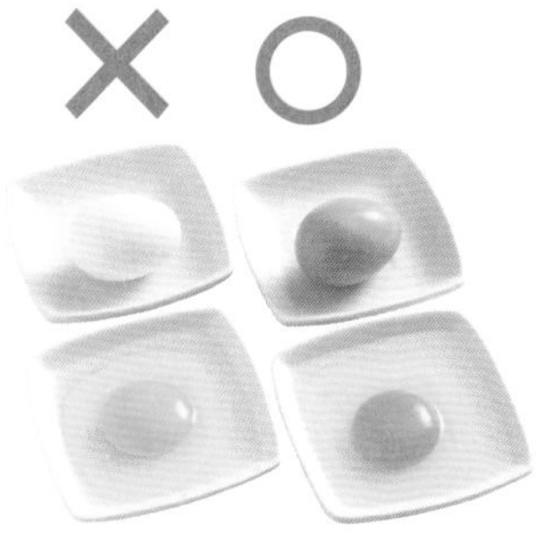

▲有機蛋的蛋黃較黃且結實；商業蛋的蛋黃顏色則較淺。

Q **生食是不是會有農藥疑慮？會不會吃進寄生蟲？怎麼清洗？**

A 若要生食，通常會建議採用有機食材。也就是選用天然無農藥、遠離化學肥料、重金屬、殺蟲劑等污染，且具有生機的優質土壤耕種出來的食材。

如果有些食材買不到有機或天然無農藥時，清洗處理的步驟便非常重要。

非生機食材的清洗方法有很多，以下列舉三種供讀者擇一使用：

- 先刷洗後再利用有機蔬果清洗劑（可至生機飲食店購買）清洗。（詳細方法可照產品標籤上所指導的方式，如圖❶。）
- 或者擠一個（或數個）檸檬汁，加一湯匙（或數匙）海鹽（視食材份量而定），再加進乾淨的水蓋過已刷洗過的食材，將食材泡五至十分鐘後，洗三至四遍即可（如圖❷）。
- 或者將已刷洗過的蔬果，浸泡在糙米水中三十分鐘或四十五分鐘後，取出清洗即可（如圖❸）。

▲有機蔬果清洗劑的使用，可參考產品標籤上的使用方法。

▲可加檸檬汁及海鹽浸泡已刷洗過的食材，五至十分鐘。

▲可將刷洗過的蔬果，浸泡在糙米水中。

其實一般非有機的食材，因爲有農藥、殺蟲劑，所以寄生蟲和卵子反而極少。但有機和天然無農藥的食材，反而容易有寄生蟲和蟲卵，所以清洗後還需要以下步驟：

生機食材的清洗方法列舉以下三種：

- 用有機蔬果清洗劑（可至生機飲食店購買）噴洗，輕輕搖動數分鐘，再用清水洗淨，如圖4。（可參考商品標籤上的使用方法。）
- 或加進乾淨的水蓋過已刷洗過的食材，用臭氧殺菌機的管線放入水中半小時後，再洗淨即可（如圖5）。
- 或者用酸性電解水浸泡已刷洗過的食材半小時，洗淨後即可。

▲有機蔬果清洗劑噴洗蔬果後，搖動刷洗數次，再以清水洗淨。

▲將水蓋過刷洗後的食材，再將臭氧殺菌機的管線，放入浸泡。

另外，我們也可以製作天然殺菌的調味料：**所有食材的製作比例分為五份，將三份的香菜末和一點五份的老薑蓉，和零點五份新鮮蒜末，再加進少許有機醋或檸檬汁和醬油（或麻油或橄欖油）攪拌，就成為天然又殺菌的調味品**（也可再加少許九層塔末、迷迭香末、小茴香粉、肉桂粉，讓味道更好）。所以若要更安全的生食，可先把要吃的生機食材切細，加入天

天然殺菌調味料的製作參考

材料

辛香料：一百五十克的香菜末、七十五克的老薑蓉、二十五克的蒜末。

調味料：有機醋（或檸檬汁）少許、醬油（或橄欖油）少許。

作法

將一百五十克的香菜末加七十五克的老薑蓉，和二十五克的蒜末攪拌後，再加少許有機醋或檸檬汁，及醬油或橄欖油，調勻拌後即可。

然殺菌的調味料後，並記得每一小口生食的蔬菜，都要小口慢慢細嚼三十至四十下才吞下，可讓大腦知道你正在進食什麼食材，便會指揮相關的器官，分泌所需要的酶素，以分解消化可能吃進的寄生蟲和卵子的蛋白質，最後的守門員——胃部，也會分泌胃酸將剩下的寄生蟲分解。

所以關鍵不是會不會吃進寄生蟲，而是調味的配料和細嚼的方法對不對，而且每一種蔬果均有相輔相成的植物生化素，可以幫助殺死寄生蟲，也能完全將它們排出體外。例如番茄內含四百多種的植物生化素，其中有劇毒的龍葵鹼（Solanine）可毒死細菌，而β類胡蘿蔔素和茄紅素（Lycopene），又會保護細胞免受傷害。

因此可以放心食用清洗過的生食材，並可以幫助我們攝取到完整的維生素及酶素。所以不要怕吃生的蔬果及蔬果汁容易感染，只要謹記住以上辛香料的調配，就能安全生食，並且要適時的服用助生素加強腸內益菌。

Q 哪些蔬果不適合生食？

A 其實，幾乎所有的蔬果都適合生食，但對蔬果的種類、份量，則因血型和血壓的不同而有不同的選擇。

血型的不同，會影響到蔬果種類的選擇和份量的多寡，這一點在《不一樣的自然養生法》中已有詳細的說明。例如：

- **A型**：可以吃大量各種顏色的蔬菜、酸中帶甜的水果。
- **B型**：採取少量蔬菜但種類多元的吃法、所有水果均可食用。
- **O型**：大量攝取各種顏色的蔬菜、酸中帶甜的水果。
- **AB型**：大量攝取各種顏色的蔬菜、少量挑選酸中帶甜的水果。

而血壓不同，也會影響選擇蔬果的種類。舉一個血壓高和血壓低的病症幫助讀者理解：

- **高血壓又有心臟問題者，攝取蔬果的種類**：正如我在《不一樣的自然養生法》中所說，如果血壓超過一百五十時，就要立刻找當地專業醫生開立降血壓藥，暫時將血壓控制下來，並同時立刻找一位懂得飲食的專家，幫助改善飲食習慣，用天然的蔬果汁和蔬果調整身體、改善高血壓，才是真正保養身體的健康方法。

長期以藥物控制血壓，並沒有真正解決高血壓和身體內在不平衡的問題。血壓藥長期服用會帶來更嚴重的健康問題，甚至導致更嚴重的危機，如肝臟和腎臟功能的失常、陽萎、洗腎、胸痛、心臟病發作、中風等致命疾病的危險。

使用天然食療法中的生機飲食，飲用相關的養生保健蔬果汁和心血管保健蔬果汁，平衡血壓、調養身體，並徹底避免使用煎、炸、炒、烤、燒等不健康的烹調方法，及少吃炒花生、腰果、開心果

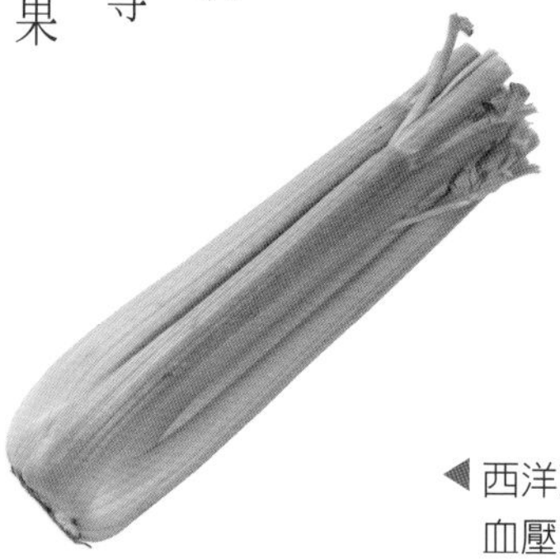

◀西洋芹、黃瓜、絲瓜、苦瓜、黑木耳等，高血壓又有心臟病之患者，都可多多攝取。

等食物。

同時多吃各式各樣的蔬果，尤其是西洋芹、芽菜、黃瓜、絲瓜、苦瓜、黑木耳、白木耳、豆腐、豆漿、蕎麥、薏仁米、青色奇異果、香蕉、紅葡萄、西瓜、蒜頭、香菜，並服用天然的保健血管營養品，加強改善體質，還要每天在強陽光下做三十分鐘的運動如快走、喝八杯乾淨的水，以及持續每天有三至四次的排便，才是眞正降低血壓的好方法。

● **低血壓且有心臟問題者，攝取蔬果的種類**：如果有低血壓又有心臟問題的話，上述對高血壓有利的蔬果，就不適合食用，應該避免。可多選擇蘆筍、菠菜、紫包心菜、老薑連皮、黑胡椒、朝天椒（又紅又小又辣的紅辣椒）、水煮熟的花生（花生易有黃麴毒素，打開食用前需注意是否爲新鮮的全紫色或全紅色，一天不能吃超過二十粒）、稍微烘過的腰果、生堅果、紫黑色葡萄、藍莓、枸杞、糙米、黑米、芋頭、紅地瓜、甘草；並同時飲用低血壓和心血管保健蔬果汁來調理身體，並在強陽光下快走十五分鐘，一天二次，幫助身體恢復正常的運作。

除了飲用改善血壓的蔬果汁，蔬果的份量和種類也要均衡攝取，不能天天**只吃降血壓的香蕉或西瓜，而是要多吃各類蔬果，藉由多種類的蔬果保健修補身體，才能真正獲得健康。**

降血壓的天然療法

各式各樣蔬果

＋

血管保健營養品

＋

強陽光下快走
三十分鐘

＋

八杯乾淨的水

＋

三至四次排便

第1章

健康的關鍵

免疫和自癒系統是世上最好的醫生

▼ A型適合做瑜伽、氣功等運動。

速見第49頁

▼ B型適合游泳、爬山、快步慢跑。

速見第49頁

▼ O型適合打籃球、足球等運動。

速見第50頁

血型決定飲食

Q 各種血型都可以喝蔬果汁嗎？

A 因爲蔬果汁含有完整的酶素（Enzymes）、豐富的營養，和高量的植物生化素，因此所有血型的人都可用來作爲保健、防病、防癌、防老之用。

而且蔬果汁具有四大優點：

- 淨化血液中的毒素，如致癌的化學物質和添加色素；蔬果汁中的酶素也能分解血中的細菌、毒菌；而植物生化素能將出軌細胞（Mutated cells）轉爲正常的細胞等。
- 加強免疫系統作戰的功能效率。
- 加速自癒系統修補的功能。
- 平衡新陳代謝的運作。

Q《不一樣的自然養生法》中提及不同血型適合不同運動，要如何運動呢？

A **A型**：因爲適合吃全素，或吃極少量肉類的族群，體型較瘦小，骨骼較細，容易骨折，所以不適合做劇烈的運動。最好做動作比較緩慢的瑜珈、太極拳、氣功，或平衡心靈的祈禱、冥想、靜坐、園藝等，比較輕鬆的運動。

B型：因爲適合吃較平均的食材，身心靈方面也比較平衡，手腳敏捷，不適合做太劇烈或運作較慢的運動。可嘗試多樣化的運動，但仍要適可而止。建議游泳、快步慢跑、打高爾夫球、打乒乓球、爬山、打掃花園。

AB型：是A和B的結合體，要看這些人每天吃的食材傾向多蔬果、堅果，或傾向多些肉類、堅果而定。如果是較偏食用蔬果、堅果類，同A型的運動項目較佳，但一星期也可做

二至三次同B型的運動項目。反之亦然。

O型：屬於適合多吃蔬果和多肉類的族群，脂肪較高，肌肉較結實，骨骼較堅硬，適合做較劇烈的運動，如打籃球、足球、長途快跑、拳鬥、舉重、少林拳。

不管哪一血型，做完相關的運動後，都要做十分鐘的快步走路，來平衡自律神經和身心靈，尤其可提升心靈，平靜運動後的肌肉，以及過度緊張的情緒。

▲任何血型做完運動後，都應再做十分鐘的快走，舒緩肌肉及情緒。

▲AB型可交替A型及B型的運動，如氣功可和慢跑交替。

▲A型不適合做劇烈的運動，可做較緩慢的瑜珈、氣功等運動。

▲O型適合較劇烈的運動，如打籃球、足球等運動。

▲B型可嘗試多樣化的運動，如游泳、爬山、快步慢跑等。

曬太陽增強人體免疫力

Q

書中提到最好在早上十一點至下午二點曬太陽，但台灣在早上十一點至下午三點時，通常是紫外線指數最高的危險級，是否會因紫外線太強而有危險？

A

只有強烈的紫外線才能穿過皮膚層，到達含有膽固醇和脂肪的內層，將他們轉變成維生素D_3，來幫助將鈣和其他礦物質成功送達骨骼。而早上十一點至下午三點，是紫外線最高的時候，也因此才能得到更多的維生素D_3。而且書中只建議讀者，**在走動下曬二十至三十分鐘的太陽，時間並不長，所以不可能構成皮膚癌**。最危險的便是躺在海灘或游泳池旁，一躺就是幾個小時，才會增加危險。放心吧！只要把握在陽光下走動二十至三十分鐘，就能安全的享受上天賜與的溫暖陽光。

改善甲狀腺疾病

Q 甲狀腺疾病飲食上要注意什麼？何謂甲狀腺營養品？

A 要選用強化甲狀腺的營養補充品之前，應先請教熟知營養學的醫師或營養師，幫助自己清楚了解：為什麼我的甲狀腺會亢進，或為什麼我的甲狀腺功能低下？

通常甲狀腺亢進會造成心律不整、心跳太快、頭脹、頭昏、頭痛、脾氣壞、心煩、呼吸急促、心臟病發作，甚至中風、死亡等；而甲狀腺低下，就有可能會身體無端發胖、疲勞、想睡等症狀。

找出致病的原因，對症下藥，才能改善甲狀腺亢進，或甲狀腺功能低下的病症。

當身體內致癌的毒素，如煎、炸、炒、烤、燒釋放出的多環芳香烴、加工食物內的化學物質、化學色素、防腐劑、人造荷爾蒙或細菌、毒菌、出軌細胞（Mutated cells）等過多時，自癒系統無法修補和處理，需要求救時，就會傳遞信息給免疫系統的總部（胸腺），總部就會透過大腦，去命令製造武器工廠（甲狀腺），製造最強的核武器（甲狀腺激素）來準備打仗，消滅敵人。

身體的致癌毒素愈多，甲狀腺就要製造愈多的武器（甲狀腺激素）來準備消滅敵人（致癌的毒素），這就是甲狀腺激素過多、甲狀腺亢進的原因。甲狀腺激素的結構有二：分別爲含有三個碘分子的三碘甲狀腺激素，和四個碘分子的四碘甲狀腺激素。當甲狀腺用掉很多的碘來製造甲狀腺素時，武器工廠（甲狀腺）的碘材料就下降。

如此一來會發生三個問題：

- 甲狀腺會發炎、會腫大、眼睛會突出。
- 甲狀腺不能再製造甲狀腺激素，會由亢進變成功能低下，產生頸部會肥大、身體發胖、無精打采、想睡覺、一直想吃東西、心律太慢、手腳冰冷等現象。

- 甲狀腺會長腫瘤。

所以，當甲狀腺亢進不停地製造甲狀腺激素時，不要以爲不要吃高碘食物，反而要補充更多含碘的食材，讓甲狀腺不會因爲沒有材料而產生以上問題。

甲狀腺亢進時的飲食注意事項：

- 避免一切煎、炸、炒、烤、燒的食物。
- 飲用平衡甲狀腺的養生蔬果汁，幫助提供更多的材料給甲狀腺。
- 飲用防癌保健的養生蔬果汁，將體內的致癌毒素降下來，排出體外。
- 同時要多吃高含碘食物，如海帶、海藻、綠藻、紫菜、海鮮、蠔、海參、西洋菜、黑核桃。
- 多吃能抑制甲狀腺亢進的食材，如十字花科的青花椰菜、白花椰菜、包心菜、抱子甘藍、木薯（樹薯）、紅皮小白蘿蔔、豆漿、豆腐、玉米、

松子、桃子、核桃等，尤其是樹薯和紅皮小白蘿蔔對抑制甲狀腺亢進最有效。

甲狀腺功能低下時的飲食注意事項：

- 避免一切煎、炸、炒、烤、燒的食物。
- 飲用平衡甲狀腺的養生蔬果汁，幫助提供更多的材料給甲狀腺。
- 飲用防癌保健的養生蔬果汁，將體內的致癌毒素降下來，排出體外。
- 同時要多吃高含碘食物，如海帶、海藻、綠藻、紫菜、海鮮、蠔、海參、西洋菜、黑核桃。
- 千萬不要吃抑制甲狀腺功能的食材，如十字花科的青花椰

▶紅皮小白蘿蔔有抑制甲狀腺亢進的功效。

菜、白花椰菜、包心菜、抱子甘藍、木薯、紅皮小白蘿蔔、豆腐和一切黃豆製品（除了卵磷脂）、玉米、松子、桃子、核桃。

● 還要補充甲狀腺營養品並一同服用輔酶Q_{10}，並配合按摩足部的甲狀腺反射區。

要特別注意的是，甲狀腺營養品會使新陳代謝加快，心臟加速，危險性極高。所以有甲狀腺亢進或低下的患者，千萬要先詢問專業的自然醫學醫師或營養師，選用適合自己的蔬果汁及甲狀腺營養補充品。

並且食用甲狀腺營養品時，一定要搭配輔酶Q_{10}一同服下，不能先後服用，而且份量還要經由營養學專家特別搭配。

Q 甲狀腺已割除了，是否可吃甲狀腺營養素呢？

A 當然可以吃甲狀腺營養素，並且要和輔酶Q10一同服用，但份量需要有專業的自然醫學醫師或營養師搭配，同時也要飲用平衡甲狀腺的蔬果汁、選用含碘及不抑制甲狀腺的食材，並且配合按摩（足底甲狀腺反射區，每次約一分鐘，一天二次），利用天然的方法改善（作法可參考甲狀腺功能低下的方法）。

Q 《不一樣的自然養生法》中所說，已經出現甲狀腺問題的患者，最好不要吃十字花科蔬菜，是指甲狀腺亢進患者，還是只要是所有甲狀腺有問題的患者，都不要吃十字花科蔬菜？

A 書中所說的已經出現甲狀腺問題，是指甲狀腺功能低下的病患，不能再吃抑制甲狀腺功能的十字花科蔬菜，如青花椰菜、白花椰菜、包心菜、抱子甘藍、芥菜、豆腐、豆漿、玉米、樹薯、紅皮小白蘿蔔。但如果有甲狀腺亢進的話，就要多吃以上食材，並飲用適合個人體質的蔬果汁，搭配相關的營養補充品。

Q 什麼是助生素？哪裡可以買？

A 助生素和抗生素是相對而論的。

「**抗生素**」是人工製造出來的殺菌藥物，可將身體內構成發炎、發高燒、感冒的細菌殺死，從而達到治療病症的效果。但抗生素會將大腸中的壞菌、好菌全部殺死，破壞力強大，服用後身體容易出現衰弱疲倦、食慾減少、便祕等不良現象。

「**助生素**」是大自然中的好菌、益菌。可以從古法製造的酸菜、醬油、酸乳、乳酪中得到（選擇上首重古法釀製，較能含有益菌），但大多數益菌到達胃部後，胃酸便已經將它們殺死。只有極少量的好菌能到達大腸，因

此身體受益很少，但多攝取仍是有幫助。

現在科技能將好菌用膠囊封起，不讓胃酸破壞而直接送達小腸和大腸，可以幫助在腸道中繁殖。

益菌的好處如下：

- 抑制壞菌的生長。
- 能吸收毒素，避免讓毒素經由腸壁進入體內的血液中。
- 能降低膽固醇和血糖。
- 能平衡酸鹼性。
- 能預防腸病毒傷害幼童。
- 幫助消化、消除大腸內毒菌所放出的臭氣體。
- 殺死胃和十二指腸間的幽門螺旋桿菌。
- 製造維生素B群，幫助新陳代謝，防治憂鬱症，而維生素B_{12}能增加紅血球和修補神經細胞，對於全素食者也助益不少。
- 製造維生素D_3和維生素K，增加骨質，預防骨質疏鬆症。

- 能製造過氧化氫（H_2O_2）殺死壞菌，並控制壞菌繁殖，加強免疫系統的殺菌功能。（當人體細胞中出現微量的過氧化氫後，細胞中的過氧還原酶能夠將過氧化氫還原成無毒物質。但當身體細胞發生癌變，免疫系統就會製造過氧化氫攻擊癌細胞，癌細胞中的過氧化氫濃度就會逐漸超標，抑制過氧還原酶，破壞癌細胞組織，促使其死亡。）

這些益菌都會因爲抽菸、喝酒、喝咖啡、喝茶、喝汽水、服用藥物、做化療、電療而死亡。

所以要達到健康的目標，首先要戒除菸、酒、藥物、刺激食品。如果有喝咖啡、喝茶的習慣，或服藥中的患者，就要服用適量的助生素輔助。在做化療、電療的病患，更要服用每次三粒，一天三次的助生素。

一般市面上的有機店、健康食品店，都有賣各種不同份量的助生素。有些要放冰箱，有些只需放在通風處，視各類產品的保存方法而定。

選購時，選活性益菌的助生素營養品就可。服用的份量視個人而定。助生素適合多數人食用，並無副作用，若腹痛、腹瀉、胃潰瘍、脹氣等也可服用。一般保健可早晚空腹時，各補充一粒或二粒。

我個人的保健方法，是早上起床空腹時，慢慢喝五百西西加海鹽的活性水，並服用二至三粒助生素，睡前再服用三粒。

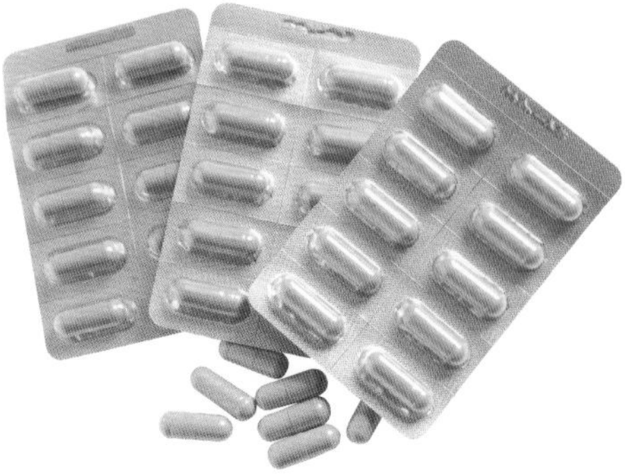

▲助生素便是內含多種以上的益菌，健康食品店及有機商店均有販售。

第2章

救命的飲食

植物生化素是抗癌抗病養生專家

▼火龍果、葡萄、蘋果的外皮及籽富含植物生化素。

速見第64頁

▼甜菜根如果發芽，最好不要吃。

速見第73頁

▼蔓越莓有助預防尿道及陰道感染。

速見第83頁

認識植物生化素

Q 是不是所有的蔬果都可以連皮帶籽打汁，才能吃到更多的植物生化素及營養？

A 並不是所有蔬果的皮與籽，都可加入蔬果汁中。例如**水蜜桃、李子、梅子的核仁、櫻桃的籽，不可放進蔬果機中，**因爲這些籽均有一層很硬的外殼包住，是不能吃的。

利用硬外殼包住的種子，就等於五穀的外殼包住的糙米一樣，是用來保護種子不被傷害，不能吃，並不是因爲太硬無法打細才不能吃。

奇異果有毛皮，如果將細毛弄淨，就可以連皮打汁。現在已經有改良皮上無毛的奇異果上市

◀因為水蜜桃、櫻桃的籽有一層硬外殼包住，這硬殼不能吃，因此無法吃到含植物生化素的籽，除非用鎚子將硬殼打碎，取出核仁。

了。但**鳳梨、榴槤的皮有刺，就不能吃**，因爲這細細的刺會刺傷胃腸的黏膜，有出血的危險。

但**酪梨、蘋果、梨子、葡萄、楊桃、火龍果中的籽及外皮**（將全部的火龍果皮洗淨後，切細攪打）**均可打蔬果汁飲用**。例如蘋果籽中的異硫氰化物，能將大小腸中的病毒殺死，加強免疫，幫助排便；籽中的維生素、礦物質、酶素、植物生化素的大量吸收，可以強壯免疫力和健康的身體，更不容易生病！

有些人說蘋果的籽有毒，不能吃，但這個前提是吃了五十顆蘋果的籽才會中毒，所以一般正常的食用是沒有問題的，植物生化素是有益而無害。

◀火龍果、葡萄、蘋果等水果的籽及外皮，只要清洗乾淨，均可食用，含豐富的植物生化素。

Q 植物生化素和酶素有何不同？

A 植物生化素是蔬果用來保護自己免受大自然傷害的防護機制。所以蔬果的皮下（即纖維部分）有含量最高的植物生化素，用來保護蔬果免被害蟲吃掉；而種子的皮下也有含量高的植物生化素，用來保護籽不受侵害，才有機會讓種子傳播下去。而我們吃了這些植物生化素，也具有保護身體的健康，和加強免疫和自癒系統的功能。酶素則是用來幫助消化、分化食物，轉化成新陳代謝的化學反應作用。簡單的說，**沒有酶素就等於失去生命；沒有植物生化素就等於失去健康。**

▼蔬果中的皮及籽有高含量的植物生化素，是為了保護自己的自然機制。

選擇蔬果機

Q 為什麼要使用三點五匹馬力的蔬果機？

A 在我三十幾年的生機飲食過程中，由榨汁機開始，慢慢升級到一匹馬力、二點四匹，再到三匹馬力及目前的三點五匹馬力的蔬果機，我發現只有目前三匹馬力和三點五匹馬力的蔬果機，能釋放出最多的植物生化素，高達百分之八十左右。

《不一樣的自然養生法》中很明確的指出，防病、防癌、防老並不難，只要吸收大量的植物生化素，就能因此修補和年輕化細胞，並且加強免疫自癒系統的功能。

同時，**剛打出來的蔬果汁溫度也很重要，約在攝氏三十九度時，能將酶素活化，並將植物生化素的效能提升三倍**。若超過攝氏四十度，就可能將蔬果中的酶素破壞，而目前僅有三匹馬力以上的蔬果機，能釋放出較多的植物生化素，並保持溫度不超過三十九度。

我也祈求不久的將來，能藉由科技的進展，不只溫度不超過三十九度，並且研製出能釋放出百分之百植物生化素的蔬果機，如此一來，將可以幫助更多人達到眞正抗老及防病的目的。

Q 一定要用三點五匹馬力的蔬果機嗎？蔬果機的馬力愈強愈好嗎？

A 不是一定要用三點五匹馬力的蔬果機，只是三點五匹馬力是目前能釋放出最多植物生化素的機器，所以我才會建議大家使用。

以後若科技進步，就選擇能釋放出百分之百的植物生化素，而溫度不超過攝氏三十九度的機器更好。

蔬果機並非愈強愈好，而是能釋放出百分之百的植物生化素才是最好的。

目前市面上最強的三點五匹馬力蔬果機，也只能釋放出百分之八十左右的植物生化素，所以希望不久的將來會有更好的機器，能釋放出百分之百的植物生化素。而釋放出的植物生化素又剛好達到蔬果分子的大小——埃單位（**Angstrom unit**），這樣能讓養分更容易送進每一個細胞。

也可以說，超過釋放百分之百植物生化素之馬力的蔬果機是多餘的，因爲可能會將植物生化素分子破壞，而且破壞蔬果分子的埃單位，會有什麼優劣，目前則仍未有任何科學的研究報告。

Q

蔬果機「瓦數」與「馬力」如何換算？台灣的蔬果機都是只有寫轉速，三點五匹馬力等於幾轉速呢？

A

一般的算法是七百四十五瓦可以產生一匹馬力，但如果該機器的輸入電流量不同，或機器的機件轉速不同，也會影響馬力的高低，所以七百四十五瓦可以輸出一馬力或雙倍馬力也不一定。

要注意的是，馬力並非以轉速的快慢或刀鋒的利鈍爲判斷，建議讀者購買時，可向店家或電器專業人士詢問。

一般三點五匹馬力蔬果機，差不多是四萬五千轉。

Q 日常保健，可以用二匹不到的蔬果機嗎？

A 當然可以用二匹不到的蔬果機，只是打出來的蔬果汁不夠細碎不好喝，且獲得的植物生化素相對較少。

只要你認爲打出來的蔬果汁美味並且有足夠的植物生化素，可供應身體免疫和自癒系統的需求，而且每天努力的實踐，也是有其效果。

▼日常保健也是可以用二匹馬力不到的蔬果機，但蔬果汁的口感較不細碎，而植物生化素也較少。

Q 如何正確使用蔬果機？

纖維粉、卵磷脂或蜂花粉何時加入攪打？

A

第一，先將所有的食材處理後放入蔬果機中，再倒入二杯半乾淨的水後，蓋好蓋子。

第二，左手輕壓蓋子；右手打開開關鈕。

第三，接著不停的按下打碎鈕四十秒後，轉按低速鈕打十秒。

第四，再轉高速打六十秒後，轉低速十秒後，轉按停止鈕。

第五，最後打開蓋子，加入卵磷脂、蜂花粉、海鹽等材料，再蓋上蓋子。

第六，按低速打十秒，再轉高速六十秒後，再按低速打十秒，再按停止鈕，開蓋即可飲用。

▼正確使用蔬果機，才能保持蔬果汁的功效及美味的口感。

纖維粉的最佳使用方法

纖維粉可幫助腸道蠕動，促進排便順暢，一般健康食品店、有機商店均有販售。挑選時請以天然、無化學添加物的品牌為優先考量。

提醒讀者，纖維粉最好不要加入蔬果機中一同攪打，最佳飲用方式為加二湯匙的纖維粉，於一杯已打好的蔬果汁中攪勻後立即飲用；也可以加二湯匙纖維粉於一大杯的清水或豆漿或杏仁奶中，攪勻後立即飲用會更好。

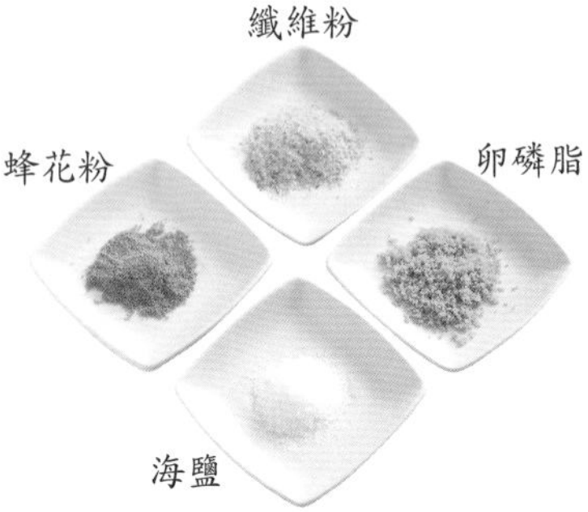

▲卵磷脂、蜂花粉及海鹽均是在最後步驟時，才加到蔬果機中攪打數秒；纖維粉則是直接加到打好的蔬果汁中攪拌飲用。

▲二湯匙纖維粉可加在一大杯清水或杏仁奶中攪拌飲用。

救命食材常見問題

蔬菜

Q 甜菜根如果發芽了，還能食用嗎？
生甜菜根一天最好不要吃超過多少量？
胡蘿蔔的皮也可以一起打汁飲用嗎？

A 甜菜根如果發芽，就會如同馬鈴薯含有龍葵鹼（Solanine），最好不要吃，以免造成身體痠痛或不適。
打蔬果汁時，甜菜根只要去掉有泥土的部分，然後留部分外皮一同攪打。

▼甜菜根如果發芽，最好不要吃。

生甜菜根一天無限制的食用量，只是吃多了容易腹瀉；有肝硬化的患者，也可多吃，避免腹積水及通膽囊。

有機或天然無農藥的胡蘿蔔皮，含有很高的植物生化素，當然連皮一起打汁更好。

Q 甜菜根可以煮熟食用嗎？甜菜根的葉子可以用來打蔬果汁嗎？

A 當然可以。

煮熟的甜菜根從多醣體（Polysaccharide）變成了甜菜糖，味道偏甜好入口。但生甜菜根的草酸煮熟後會轉變成草酸鹽，容易造成腎結石。若是生打成蔬果汁，就不會造成草酸鹽。

▲紅蘿蔔連皮打汁，效果加倍。

所以**建議一周只食用一次煮熟的甜菜根**，不但可享受美味，又能顧及健康！

而甜菜根的葉子含高鉀，對於改善心臟病頗有良效。所以打蔬果汁時，也可將葉片洗淨一同攪打。

▼煮熟的甜菜根，最好一周吃一次就好。

Q **買不到甜菜根，可以用甜菜根粉替代嗎？份量如何拿捏？**

A 甜菜根因爲有季節性（產期約在三至四月、八至九月），若買不到，可用低溫製成的甜菜根粉替代。

因爲低溫製成的甜菜根粉，不會將多醣體轉變爲甜菜糖；也不會將草酸變爲草酸鹽，較不影響效果。

- **中型甜菜根**（約如同杏桃大小）替代爲一大匙甜菜根粉；
- **大型甜菜根**（約如同拳頭大小）替代爲二大匙甜菜根粉。

市面上常售的甜菜根汁，多半是高溫製成，甜菜根的多醣已經轉爲甜菜根糖，失去加強免疫功能的作用，較不建議選用，但每周一次也能當健康飲品享用。

▲因為新鮮的甜菜根有季節性，可用低溫製成的甜菜根粉替代。

Q 甜菜根顧名思義為含有糖分的蔬菜，為什麼糖尿病患者飲用的蔬果汁中，它卻是必有的呢？甜菜根是否有人不適合食用？

A 生的甜菜根含的是多醣體（Polysaccharides）。而多醣體是免疫細胞的軍糧，可加強免疫的功能，糖尿病患者免疫功能較弱，所以生食甜菜根進入體內便成爲鹼性，對糖尿病患者是有益的。**但煮熟的甜菜根，多醣體就會轉變成糖分進入體內成為酸性，就不建議糖尿病患者食用了**。

甜菜根對肝臟頗有助益，所以對於常喝酒、抽菸、腸胃消化不良、貧血的人都很有幫助。幾乎所有人都適合食用，唯有常腹瀉的人可能不適合吃過多的份量。

▼甜菜根有助於肝臟保健，但腹瀉者不宜吃過量。

Q 地瓜及馬鈴薯是否可以生吃？山藥是否可以生吃？馬鈴薯跟山藥可以一起打蔬果汁嗎？

A 可以！但如果地瓜發芽後，就應挖除發芽處後再食用或者丟掉；而馬鈴薯有發芽時就不能食用了。

地瓜及馬鈴薯均含有豐富的膳食纖維，能改善便祕及預防大腸癌的產生。而且地瓜含有維生素A，可改善夜盲症；馬鈴薯富含的維生素C，則可預防壞血病。

山藥因爲有黏液，生食對胃部保健有益。馬鈴薯和山藥可以一起打蔬果汁，但最好打完後立即飲用，避免氧化。

▲地瓜發芽就應該挖除發芽處或是丟掉。

▲地瓜、馬鈴薯、山藥皆可生吃。

Q 有機牛蒡、蓮藕是否可以生吃？可以一起打蔬果汁嗎？

A 有機牛蒡和蓮藕都可以生食，也能做爲蔬果汁的材料，營養更豐富、植物生化素更高。

牛蒡富含膳食纖維，可促進腸胃蠕動，排除體內毒素。而且牛蒡含有高量的菊糖，可幫助腸內益菌增生；並有助於增強體力、強筋健骨。

蓮藕可紓緩腸胃不適、促進消化，並且有助於消除緊張、安定精神。

▲牛蒡及蓮藕生食，可攝取到更高的植物生化素。

水果

Q 有人說番茄要加熱才能釋放植物生化素，可以把番茄加熱後再放到蔬果機中打嗎？有人說生番茄有龍葵鹼不能生吃，如果要生打蔬果汁怎麼辦？

A 番茄和其他蔬菜如果加熱（不是煮熟），溫度不超過攝氏三十九度時，植物生化素的活性將會是正常溫度的三倍。

所以，一般人誤解科學研究的報導，以爲煮熟後才能釋放植物生化素，其實是一種錯誤的觀念。

因爲煮熟的番茄已經流失維生素、酶素，而植物生化素則是需要這些營養素，才能產生相輔相成的功效。

三點五匹馬力的蔬果機，打完後的蔬果汁是微溫而不超過攝氏三十九度，能將生番茄的茄紅素提升三倍的活性，而不破壞相輔相成的維生素和酶素。

有一說法，生番茄裡有一種龍葵鹼的毒素，累積體內恐怕危急生命，其實這是一種似是而非的觀念。

其實只要選用熟成的生番茄，龍葵鹼的含量便非常稀少，所以我一再重述，**生食番茄應該要選擇全紅不帶綠的熟成番茄，才會安全又具有豐富的營養價值**。

▲生食番茄應選全紅不帶綠的熟成番茄。

▲番茄若要加熱，溫度不超過攝氏三十九度，才能釋出最多的植物生化素。

Q 新鮮藍莓不方便買，是否可買藍莓乾？如何挑選好的藍莓乾？

A 新鮮藍莓含豐富的莓酸（Ellagic acid）可幫助抗癌，及防止失智症及夜盲症。若買不到新鮮藍莓，可以選購藍莓乾替代，但要挑選用低溫焙乾並且無添加糖精的有機藍莓乾。

市面上也有經過高溫處理過的藍莓汁，會由溫性轉變爲涼性，多喝可能會造成咳嗽。若是**買不到天然低溫焙乾的藍莓乾，也可用枸杞替代**（有機店及中藥店均可購買）。

但如果是做爲蔬果汁的材料，可多加點薑片中和，就能平衡屬性（薑片的份量視個別的需要而定，如果有咳嗽，有時也可加點黑胡椒粒）。

▲▼若買不到新鮮藍莓，也可用枸杞替代。

Q 新鮮蔓越莓不易買到，是否可買蔓越莓乾？如何挑選好的蔓越莓乾？

A 蔓越莓被廣泛用來預防尿道和陰道的細菌感染。

若是買不到新鮮的，可以買蔓越莓乾代替，但要挑選沒有額外添加糖分的爲佳。

其實蔓越莓是比檸檬還酸的莓果類，若在食用蔓越莓乾時，有甜的味道，就有可能在加工過程中加糖，對膀胱發炎的患者效果較不佳。

▲蔓越莓乾的功效當然不及新鮮的。

Q 改善痛風症狀，每天要吃一碗櫻桃（約六十顆），請問是要連籽吃嗎？櫻桃的核仁可以加入蔬果機中攪打嗎？

A 每天吃一碗櫻桃要去籽，因籽有堅硬的外殼，無法食用。同時也要每天喝八杯乾淨的水和斷絕一切肉類和豆腐，最好每天可以將四顆青檸檬擠汁後，加入五百西西乾淨的水中飲用。

櫻桃的核仁有很硬的外殼，不能放進蔬果機攪打。同樣的，李子、桃子、杏桃的核仁也有很硬的外殼，都不能放進蔬果機打。如果用鎚子將外殼打碎，取出籽就可以放進蔬果機一同打成蔬果汁。

三至五粒（不宜超過五粒）的櫻桃籽，可改善心臟病患者的胸痛，和殺死腸內寄生蟲，但也容易使得蔬果汁變苦，不易入口。所以，也能放入口中細嚼咬碎。

配料

Q 杏仁（杏桃的核仁）是吃生的還是熟的？烤過有調味的可以嗎？

A 杏仁含有強效抗癌的植物生化素B_{17}。杏仁和其他核仁生吃最好（多數有機店均可購買到生杏仁）。多數烘烤後的杏仁，都已破壞了內含的油酸和卵磷脂後，才會發出香味。但是此香味是多環芳香烴（Polycyclic aromatic hydrocarbons, PAHs）發出的致癌劇毒物質，多吃恐有罹癌危機。若是每週一次，只有極小量的，身體會自然代謝，就沒有多大關係。

▲烘烤後的杏仁，多吃恐不利健康。

Q 巴西堅果、杏仁、南瓜子、腰果等是否可以每天吃？花生是否也可以吃？

A 巴西堅果含有最高抗癌的有機硒，能抑制癌細胞增生。但不能多吃，免得傷肝，一天不超過五粒。

杏仁和南瓜子則每天建議生食攝取量為三十克；而腰果及生腰果和花生容易含有黃麴毒素（Aflatoxin），是致癌物質，所以我不建議常食用。有腫瘤、糖尿病、痛風、高血壓患者最好避而遠之，但每週一次仍可接受。

低血壓的患者反而可以常吃，因為花生及腰果可幫助升血壓，但也需小心保存，才不易產生黃麴毒素。

▲巴西堅果每天不宜吃超過五粒。

第3章

吳醫師的健康生活處方

改善體質，就從健康飲食開始！

▼喝檸檬水時，最好不要加蜂蜜。

速見第89頁

▼多喝堅果奶，有助補充鈣質。

速見第96頁

▼糖尿病患者可多食用涼拌生苦瓜。

速見第100頁

四階段健康飲食

Q 是不是要完全生食比較好？

A 百分之百的生食，的確可以有較齊全的營養和植物生化素，脂溶性維生素也不會因爲生食而無法吸收。若無法百分之百生食，可以選擇較中庸的方法。

我每天日常的食譜，除了六杯生鮮蔬果汁，也掌握百分之九十生食和百分之十的熟食，種類多元的全生沙拉和少量煮熟的食物，補充我一天所消耗的體能，並保持健康的精力，完成一天生活起居。

▲菠菜生食比熟食好。

有些蔬菜生食會比煮熟好，例如新鮮菠菜含有高含量的草酸，但草酸是天然微瀉劑，可預防便祕卻不會造成腹瀉。可是當菠菜快炒至熟時，就可能形成草酸鹽，若又同時食用高鈣食材，每天食用的話，有造成腎結石之虞。

酸鹼平衡是健康的要素

Q 檸檬屬於中鹼性食物，飲用檸檬水可以加蜂蜜嗎？

A 如果是飲用日常保健蔬果汁，可以加入少量的蜂蜜。但若是爲了疾病保健，就不建議加蜂蜜了！

檸檬進入體內會變鹼性，但若加蜂蜜，因爲蜂蜜中糖的成分，反而會轉變成酸性。就算是極少量的蜂蜜，仍會轉變成酸性。

但若是喉嚨不舒服的人，可以嘗試喝檸檬水時加入少量的蜂蜜，份量比例約二百五十西西的檸檬水加約二十五西西的蜂蜜，因爲蜂蜜可潤喉，可幫助改善症狀。

另外，也可口含一、二片的甘草片，效果會更好。

▲若為疾病保健，較不建議檸檬水加蜂蜜；但若喉嚨不適，仍可適量飲用蜂蜜檸檬水。

喝對水比多喝水更重要

Q 何謂活性水？如果買不到活性水，可以用什麼替代？

A 活性水是由植物中提煉出來的有機活性礦物質濃液，加入蒸餾水，或RO逆滲透水、或電解水或任何乾淨的水，經稀釋後所得的活性礦物質水，簡稱「活性水」。

而所謂「有機活性礦物質」，就是蔬果中礦物質分子的大小，是相等於細胞內的礦物質大小，所以蔬果中的礦物質能夠自由無阻進出細胞的細胞膜，加速吸收細胞所需的礦物質，並排出細胞中毒物，來年輕化細胞。

所有蔬果中都有人體極度需要的有機活性礦物質，但因土壤長期耕作，造成蔬果中活性礦物質的不足，所以可以喝活性水填補蔬果中活性礦物質的不足。

如果買不到活性水，藉由每天喝上六杯以上的蔬果汁，和每餐食用全生的生菜沙拉，也可以解決活性礦物質的不足。

Q 在《不一樣的自然養生法》中提到礦泉水中的礦物質是無機的，會阻礙細胞的營養吸收，是不是完全不能喝礦泉水？

A 只要不是天天喝大量的礦泉水，就沒有太大的問題。假如一天喝七杯蒸餾水，一杯或二杯礦泉水，而礦泉水中的無機礦物質分子太大，身體無法吸收，蒸餾水因爲是中性的水，便能幫助將無機的礦物質排出。所以有些人說，喝蒸餾水會將身體的礦物質排出就是這個原因，但蒸餾水會保留對人體有益的有機礦物質。

而家中的過濾水爲酸性，反而不易將無機礦物質排出。

Q

鹼化水是一般大家常說的電解水嗎？

A

是的。鹼化水或鹼性水就是一般大家常說的電解水，是用家用的自來水經過過濾系統和電解過程所得的水，也是適合大家飲用的好水之一。

Q

為什麼一天八杯蒸餾水最能淨化身體？

A

蒸餾水就是只有淨水，而沒有任何的雜質。飲用蒸餾水可以幫助清淨身體的五臟六腑，尤其是將無機的礦物質排出體外。

原則上只要把握飲用乾淨的水，讓體內代謝正常，就能淨化身體。而飲用的份量，應依個人體質而定，有些人只需六杯，有些人要八杯，更有些人需要十杯。但需特別注意，蒸餾水爲純淨的水，裡面沒有任何活性礦物質，所以一定要多喝生鮮蔬果汁和攝取新鮮蔬果沙拉，才能得到適量的活性礦物質。

我本身除了喝六杯蔬果汁，二餐生菜沙拉外，每天喝六至十杯乾淨的水或活性水。所以並不是每天飲用蒸餾水就足夠，也要適時補充含植物性礦物質的水或蔬果汁，才能提供身體所需的活性礦物質，活化細胞及提升身體活力。

Q

一定要用蒸餾水嗎？

可以用家裡淨水器過濾過的水，或是金字塔能量水嗎？

A

我會建議使用蒸餾水的原因，在於它是乾淨、中性的水。但若家裡的淨水器及金字塔能量水，可以過濾掉多數的雜質與毒物，也是可以使用，只是純淨度不及蒸餾水。

端看個人可接受的標準而定，只要把握選用乾淨無汙染的水便可，並配合飲用蔬果汁增加活性礦物質吸收。

Q **礦泉水、純水、蒸餾水有什麼差別？放久會不會變質？**

A **礦泉水**是由山上流下或地底下噴流出來。而從山上流下來的水，或由地底下噴出地面的湧泉，含有很高份量的無機礦物質，以及份量不定的有機活性礦物質。

無機礦物質則是岩石經風吹雨打日曬腐蝕後的細粒；有機活性礦物質則是埋在地下的植物腐蝕釋放出來的活性礦物質。

純水是自來水經過過濾，但容易有殘留的細菌及物質。

蒸餾水是自來水經煮沸變成蒸氣，經過冷管轉變成的淨水。

任何礦泉水、純水、蒸餾水或電解水放久了都會變質。讀者可參考商品的保存期限，才能確保喝的品質與安全。

◀乾淨的好水可以幫助淨化身體，恢復正常代謝。

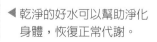

補充鈣質的堅果奶

Q 堅果奶中的小米（或蕎麥或糙米），需不需要先煮熟呢？

A 堅果奶中的一切食材都是生的。只要洗淨就可以攪打成堅果奶，也不要過度清洗，以免造成五穀中的營養米糠流失。也無需擔心堅果奶和蔬果汁一起飲用會造成草酸鈣，因爲酸性蔬果汁進入胃部後會轉爲鹼性，幫助吸收草酸，不會造成草酸鈣結合。

▲糙米和小米不需先煮熟或浸泡，可以直接清洗後攪打。

Q 若按照《不一樣的自然養生法》中的堅果奶材料攪打，濃度太高，是否可加水稀釋？要加多少水？

A 按照書中的材料打成堅果奶，濃度的確很高，可以用一比一的比例加水稀釋（詳見《不一樣的自然養生法》第一百五十九頁）。也可以打好後，將喝不完的堅果奶放入冰箱冷藏。需要時，倒出二分之一杯的冰堅果奶，加上二分之一杯的熱水，混勻後，就是溫和順口的堅果奶（也能叫杏仁米奶）。爲老少皆宜、補鈣、潤肺、美膚，營養又健康的飲品，若飲用前想加少許的木糖醇也可。木糖醇可防蛀牙，幫助將鈣和其他礦物質送進骨骼。

▼堅果奶中攪打的食材，均為生食。

改善新陳代謝，終結肥胖

Q 輔酶Q_{10}有什麼功效？哪裡可以買得到？

A 輔酶Q_{10}或CoQ_{10}是身體細胞所需要的營養材料，可用來輔助細胞將燃料送進細胞內的線粒體（Mitochondrion，如同發電廠）來生產能量（ATP）。身體的百分之九十五能量都是由細胞的線粒體生產。

每個細胞中含有不同數量的線粒體。線粒體數量愈多的細胞，所需要的輔酶Q_{10}愈多。

心臟的肌肉細胞中有最多的線粒體，其次是腦細胞、肝臟細胞、卵巢細胞、免疫和自癒系統的細胞，最少的是皮膚細胞。所以輔酶Q_{10}不足，也是心臟致病的原因之一。

疲倦、記憶力不好、不孕、憂鬱症、癌症，也都有可能是輔酶Q_{10}的供應不足所產生的症狀。

因爲這是身體細胞天天都需要的營養，不管是嬰兒、小孩、年輕人、老年人、健康的人或生病的患者，都可以補充輔酶Q_{10}。但一般三十歲以下的健康民衆，體內均有足夠的輔酶Q_{10}。

肝臟是製造輔酶Q_{10}的器官，若有服用膽固醇藥物的患者，需注意可能會使肝臟無法生產輔酶Q_{10}，而導致心臟病、憂鬱症、癡呆症、癌症等疾病，需多加留意。

建議每天食用輔酶Q_{10}，每次三粒（每粒含量爲三十毫克），一天三次，可保健身體，避免可能發生的疾病危險，或心臟病發作。

市面上有十毫克、三十毫克、六十毫克、一百毫克、四百毫克、六百毫克等各種份量的輔酶Q_{10}，一般買三十毫克和六十毫

◀一般健康食品店均可洽詢購買輔酶Q_{10}。

克的最適合。

例如你身體需要二百毫克，可依醫師建議早晚各服高份量一百毫克各一粒；或每二至三小時各服一粒三十毫克，一天三至四次皆可。但其實服用小份量並多次使用的效果，會比服用高份量、並少次使用的效果好，因爲細胞是時時刻刻不停的將輔酶Q_{10}送進線粒體生產能量，小量多次讓細胞隨時都有機會得到輔酶Q_{10}的供應。

一般日常保健可每次二粒，含量爲三十毫克，一天二次。輔酶Q_{10}算是容易購買的保健食品，一般健康食品店均可詢問。

▲日常保健建議每天可服用小份量的輔酶Q_{10}，一天多次。

Q 吃輔酶Q10對減肥有效嗎？

A

輔酶Q10是每個細胞都需要的營養素，可以隨時補充。但用來減肥是沒有多大效果的。

肥胖有很多原因，管理新陳代謝的甲狀腺功能有異狀，是可能的原因之一。如果確定是甲狀腺功能的問題，就可服用甲狀腺營養素來調整，又因在服用甲狀腺營養素時，心臟的跳動速度會加快，所以服用甲狀腺營養素時，一定要一同服用輔酶Q10，不可分開，不然會產生不舒服如頭痛、心跳加速等現象。而二者的搭配，需詢問專業的自然醫學醫師或營養師。

其實改變生活及飲食習慣，才是減肥的根本。而《不一樣的自然養生法》中第一百六十頁，將有更詳盡改善新陳代謝的建議。

Q

為什麼要吃發芽的豆類？

A

因爲稍微發芽的豆類已經分解豆皮上的半乳糖（Galactose）毒素，並且將蛋白質轉變成胺基酸，讓蛋白質的吸收量提升三倍，增加異硫氰化物（Isothiocyanate）的活性，也對提升新陳代謝有幫助。

肉類含有大約百分之三十的蛋白質；豆類含有大約百分之十二至十七的蛋白質。但發芽的豆類將胺基酸（蛋白質經消化後，變成胺基酸）提升三倍，也就是說，將只有百分之十七的豆類蛋白質提升到百分之五十一。化療的病友需要很多的蛋白質，爲了提升化療病友的體力，所以建議多吃稍微發芽的各種豆類（不是豆芽），這樣可獲得更多的蛋白質。

若是食用肉類，反而要消耗身體的能量來幫助消化吸收，容易增加身體的負荷。但發芽的豆類早已變成胺基酸，同時也有酶素，對病友來說身體負擔就相對減少了。

每餐可吃半杯（約一百二十五克），每一口都要細嚼三十至四十下再吞下。飯前三十至四十分鐘，也可先服用三粒助生素和三粒消化素，增加腸胃益菌及加強胃功能。

▲發芽後的豆類不只提供了蛋白質的攝取量，還能提升新陳代謝。

Q 一般豆類要怎麼讓它發芽？五穀類食材也要發芽嗎？

A 將豆類清洗後，瀝乾水分，再倒入乾淨的水剛好淹及所有豆類，用一塊厚紗布蓋好。

第二天可以看見，幾乎所有的水都被豆類吸收，第三天或第四天就可以發出小白芽。若第三天還沒發芽，就應再換水洗淨。有機商店均有販售發芽工具或發芽豆，可自由選用。

將已稍微發芽的豆類，繼續用紗布蓋著放入冰箱冷藏。要用時，再取出二分之一杯，用溫水沖洗，瀝乾水分，就可以加入生菜沙拉生食或加入五穀米煮熟食用。

豆類發芽的時間會隨著環境溫度高低而不同。夏天約二至三天發芽；冬天可能七至十四天才發芽，所以每隔二天就稍微沖洗一下，直到豆類發芽再放入冰箱冷藏。

而五穀類食材不用發芽，便可打成堅果奶飲用。

▲先將豆類洗淨。

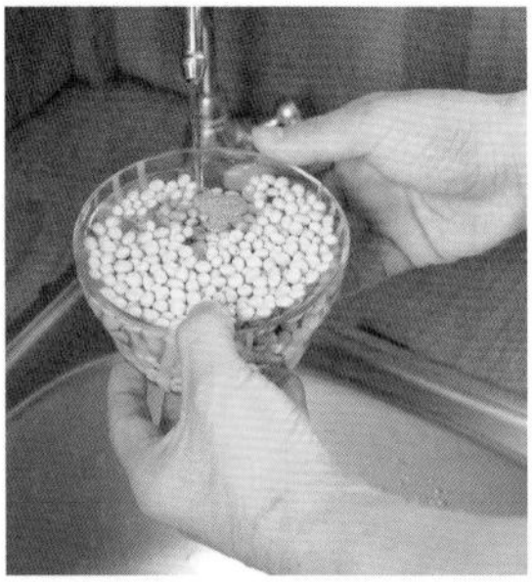
▲倒入乾淨的水淹過豆類。

▲再用厚紗布蓋好，等待發芽；已稍微發芽的豆類，仍需用紗布蓋著，才能放入冰箱冷藏。

Q
搭配纖維粉食用的是精製椰子油嗎？精製椰子油對人體有什麼好處？

A
《不一樣的自然養生法》中所使用的椰子油，均是精製的椰子油（MCT Coconut Oil）。

因爲椰子油有長鏈和中鏈的油酸。精製椰子油只提煉出中鏈長的三酸甘油脂（Triglyceride），不只增強人體免疫力，增加體力，還能用來減重，但一天不能超過三大匙。而且應加在生鮮沙拉或加水及纖維粉中搭配食用。早上空腹時一大匙，一天三次。但精緻椰子油僅提供中鏈長的三酸甘油脂，而缺乏維生素、酶素等物質。所以一般食用，建議可選用純椰子油，但仍要遠離煎、炸、炒、烤等烹調方式，多使用汆燙後再拌上油，才能避免過高溫度造成的油脂變質。若非精製的椰子油，就易含有長鏈油酸，可能造成膽固醇過高。

我所說的精製椰子油在室溫或冰箱冷藏中均不會凝結，並且無使用化學溶

劑提煉，而純椰子油在攝氏二十四度以下會凝結成乳白色的固體。購買時可參考標籤上是否註明中鏈三酸甘油脂（MCT OIL）或有體重管理（Weight management）之說明。

▲精製椰子油在室溫或冷藏都不會凝結成固體狀；純椰子油則會凝結成固體。

Q 纖維粉不減肥的人每天都可以喝嗎？有什麼好處？

A 纖維粉（Plantago ovata）無論是減肥或不減肥的人都可以每天食用，可將二湯匙的纖維粉加入二百五十西西的蒸餾水或任何飲料中，攪勻飲用，幫助腸道保健、排便順暢並降低膽固醇。

▲二湯匙纖維粉加二百五十西西蒸餾水，就可幫助排便順暢。

一天三次排便，降低膽固醇

Q 一天排便三次才是正常嗎？

A 我們最常聽到的建議是，一天最少要攝取三十克纖維質，保持每天一次排便的量，但每天只維持一次排便，其實是不夠的。

因爲每天僅一次排便，體內廢物逗留在大腸內就會多三天，因爲大腸的結構有直升腸、橫腸、下降腸和直腸共四個彎，若是每天只一次排便，就會造成其餘三個腸道的糞便累積在體內，毒素容易被吸收進入血液中，讓大腸罹癌的機率升高，也使駐紮在消化系統周邊的三分之二淋巴細胞軍隊可能產生中毒，降低其免疫功能。

在書中，我建議讀者每天要有三次排便，爲達到這個目標，除了每天喝四至六杯蔬果汁，也可加入一二餐的生菜沙拉，目的就是能夠攝取豐富的纖維，幫助大腸蠕動，達到三次順利排便的目的。

而我自己本身，除了每天喝六杯蔬果汁，及二餐生菜沙拉外，還會額外添加二次纖維粉，有時甚至一天會有四次排便，也因爲如此，我雖然已年近七十歲，但許多人看見我，會發現我臉色紅潤，精神飽滿，看起來似乎只有五十多歲，因爲一分耕耘一分收穫，你對身體照顧多少，健康的回饋就有多少。

需特別注意，若是動過腸胃相關手術後（例如大腸割除、胃切割等）的疾病患者，就需要先諮詢營養師或合格的自然療法醫師，設計個別食譜和生菜沙拉食譜，並搭配額外營養補充品。

▲我臉色紅潤、精神奕奕，就是因為每天都有三至四次的排便。

排除膽結石

Q 純磷酸食用時，有什麼需要注意的事項？

A 純磷酸（Ortho-phosphoric acid）是用來軟化膽結石的，需稀釋使用，只能連續使用三天便要停止，不能長期使用，才能避免傷害牙齒的琺瑯質。但有腎臟衰竭和洗腎的人，千萬不要使用純磷酸！

Q 如果懷孕了，可以喝排膽結石的純磷酸或瀉鹽嗎？

A 不可以。同時正在洗腎的病患及腎臟接近衰竭的人士也不可以用。而有肝炎、肝病的病患則要先排膽結石疏通膽囊，才能改善肝臟問題，因爲肝臟的毒素及廢物，都送到膽囊轉變成有用的膽汁，來幫助分化吃進的脂肪，如果膽囊堵塞，肝臟的廢物只會堆積在肝臟裡，引發肝炎、肝病。

改善糖尿病

Q 許多地方買不到君達菜又有季節性，有什麼蔬菜可以替換嗎？

A 可多吃苦瓜（Balsam pear）和大黃瓜（Cucumber）。

苦瓜和君達菜都有類似胰島素的植物生化素；大、小黃瓜中所含的鍋、木糖醇，不但血糖不會升高，還有降糖作用。

若要效果更佳，可食用涼拌生苦瓜（或大黃瓜），並加入適量蒜末、薑末、小茴香粉和香菜末。

▼將苦瓜去籽切片，再加入適量蒜末、薑末、小茴香粉和香菜末，就成為糖尿病患者的涼拌菜。

Q

為什麼君達菜對高血壓及糖尿病患者會有助益？要限制每天的食用份量嗎？

A

糖尿病患者和高血壓患者都屬燥熱體質，君達菜（Swiss chard）因爲含有類似胰島素的植物生化素，能降血糖及血壓，對他們最有益，可以天天吃，份量不需限制。

但普通人每週吃一、二次就足夠了，每次食用時可加點薑片或麻油。

▼君達菜含有類似胰島素的植物生化素，會降血糖和血壓。

Q 葫蘆巴粉的成分為何？是屬於辛香料的一種嗎？

A 葫蘆巴粉（Fenugreek powder）是葫蘆巴粒磨成的粉末，屬於辛香料。

可以在任何菜餚中加入調味。也可用一杯熱水，加入一茶匙的葫蘆巴粉，當成茶飲。

一天四杯可幫助調節體重和降血糖，所以需要控制體重或糖尿病患者可飲用，但若是孕婦則需小心使用。

▲葫蘆巴粉可降血糖、膽固醇、三酸甘油脂和減重。

Q 南瓜跟豆角可以生吃嗎？

A 南瓜跟豆角（又稱豇豆、菜豆、長豆）都可以生吃。

南瓜可以刨絲，豆角可以切段，加入生菜沙拉中或單獨涼拌。蒸熟的南瓜和熟的豆角，還是對糖尿病改善有其效果，但易流失部分營養，食用時可加少許香菜末、蒜末、薑末、檸檬汁或醋攪拌，增加風味。

▲南瓜中的環丙基胺酸，可促進胰島素的分泌。富含的果膠，能幫助餐後的血糖和血液中的胰島素水準下降。

養生筆記

第4章

吳醫師的健康生活處方

重拾健康，就從這杯養生蔬果汁開始！

▼天然辛香料是健康蔬果汁的關鍵食材。

速見第118頁

▼甜菜根、番茄和紅蘿蔔是蔬果汁的必備食材。

速見第123頁

▼若是疾病保健，蔬果汁不建議加冰塊打來喝。

速見第144頁

動手製作蔬果汁前必知Q&A

Q **《不一樣的自然養生法》中蔬果汁是不是所有疾病都適用？有沒有族群的限制？**

A 請優先選擇和自己相關的蔬果汁飲用，如果要防癌，書中食譜功效中有關於防癌的蔬果汁都可以喝。

就算是女性，喝了防攝護腺癌或保健攝護腺的蔬果汁也無妨；但如果你是高血壓或糖尿病患者，卻選喝低血壓或低血糖保健食譜就不合適。

而腎臟病患者也不適合飲用書中的蔬果汁，需視個人狀況特製蔬果汁和搭配營養補充品，最好先諮詢自然醫學醫師或營養師。

◀選擇蔬果汁種類時，可優先選擇和自己身體相關的蔬果汁。

Q

《不一樣的自然養生法》中的蔬果汁食譜，使用的材料都是生的嗎？主要原因為何？如果無法接受完全生食，可否偶爾改為熟食？

A

爲了要得到較完整的營養和植物生化素，所有的材料都要用生的。因爲只有生機飲食，才能得到齊全的營養和植物生化素，同時要謹記，每次入口的食物一定要細嚼三、四十下才吞下。

如果無法接受全生食，建議剛開始的進食步驟：

- 可以先吃百分之五十的生食，和百分之五十的熟食；
- 再慢慢增加成百分之九十的生食與百分之十的熟食。

由全生食先供應身體所需要的營養後，再以熟食滿足口慾，兩全其美。

Q 蔬果汁中使用的食材都是生的，對身體來說會不會太寒呢？

A 其實，三點五匹馬力的蔬果機打出來的蔬果汁都是微溫，且每道蔬果汁中都有加老薑祛寒，而酸性的蔬果汁進入體內時會變成鹼性，可加強免疫和腸胃的功能。

所以說吃全生蔬果，會有生冷寒涼的現象，並非完全正確，情況會因每個人的體質而異。

只要搭配適當的天然調味料，例如：

- 老薑（Ginger root，降高血壓和膽固醇）；
- 薑母粉（Ground ginger，抗發炎）；
- 香菜（Cilantro，代謝重金屬）；
- 迷迭香（Rosemary，保健肝腦）；
- 九層塔（Chinese basil，加強腸胃）；
- 辣椒（Pepper，促進血液循環）等。

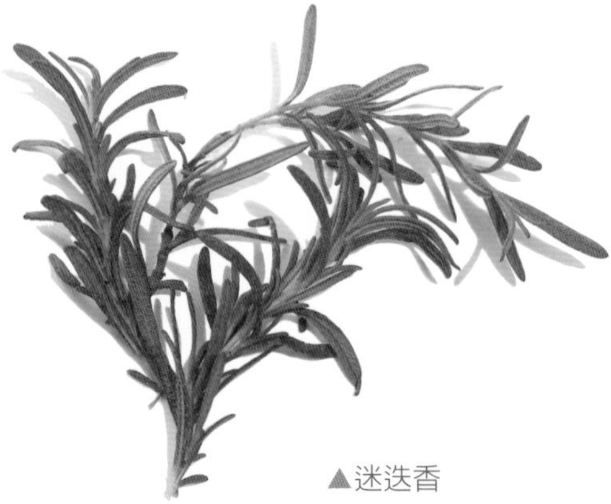

▲迷迭香

辛香料就具有天然的抗感染、殺菌、相生相剋的作用。若手腳冰冷，想要平衡蔬果汁的寒涼，就可多放老薑、黑胡椒。同時還能引進更多的好菌，這些好菌能控制一切外來的壞菌，並在它們還沒有到達大小腸時就消滅它們，又怎會感染病毒！在做治療時，喝蔬果汁前三十分鐘，可先服用三粒助生素輔助。

所以蔬果汁中搭配的香料非常重要，不可忽略。

◀所有天然辛香料都有抗感染、殺菌、提高免疫和自癒的功能。

Q

每道蔬果汁的材料是一天的份量嗎？

那每餐喝多少呢？

A

沒錯，《不一樣的自然養生法》書中每道蔬果汁的份量，均是一天的杯數，請見每道蔬果汁下方的份量表。

每道蔬果汁食譜都有約四至六杯的份量（一杯爲二百五十西西）。每次早餐可以喝二杯，午晚飯前一小時再喝一杯，視個人食用量調整。

- **若是日常保健**：早上可以喝二杯當早餐，中餐和晚餐前一小時各喝一杯，一天至少喝四杯蔬果汁。
- **若是疾病保健**：爲提升自我痊癒力，每天需飲用至少六杯，除了每天早餐的二杯，午晚飯前的各一杯，其餘二杯可自行分配時間飲用，最好是空腹飲用。
- **特別再提醒讀者**：飲用每一口蔬果汁都要在口中細嚼十幾下才吞下，讓大腦指揮相關器官，分泌酶素來分解、消化和吸收營養。

Q

蔬果汁可一次打好，放冰箱保存嗎？從冰箱拿出來時，可以直接飲用嗎？

A

蔬果汁最佳的飲用時間，當然是現打現喝。可是現代人生活忙碌，爲了提高大家喝蔬果汁的意願，仍是可以放入冰箱冷藏，不過飲用前應先讓蔬果汁回溫後再飲用。

也可將三分之二杯的冰冷蔬果汁，加上三分之一杯的熱水，混勻後就是微溫的蔬果汁。

熱水的溫度沒有限制，但在剛加入還沒攪勻的瞬間，會破壞少許的營養素，但比冰冷效果好。

冷藏後的蔬果汁效果當然比現打的差，但最重要的還是希望大家願意爲了健康，每天飲用並持之以恆。冷藏後的蔬果汁攝取到的營養素雖然會減少，但總比完全不喝來得多。

▲可用三分之二杯的冷藏蔬果汁，加上三分之一杯的熱水，混勻後飲用。

Q

一定要按照《不一樣的自然養生法》中的食譜來打嗎？如果不按照食譜打，怎麼挑選食材呢？

A

原則上，蔬果汁食譜中的食材，都是有其功效的。

例如配料中的辛香料，是爲了殺菌及平衡蔬果汁的寒涼。如果加了不適合的材料，恐影響原有的效果。

如果不按照書中的食譜去打，就需要先請教具備專業營養學知識的專家，如自然醫學醫師或營養師，才能避免不良的效果。

例如手腳冰涼的人，卻加了黃瓜（Cucumber）、芹菜，會降低血糖、血壓的食材，會有導致頭暈之現象；又如果是高血壓，卻加了黑胡椒，可能會導致血壓升高或血管破裂，所以千萬要小心。

因此日常保健時，如果漏了書中一、二項材料，仍是可以打蔬果汁，但不建議自行外加食譜中未提及的材料。

Q 有些食材因為季節性問題不好買，如果材料漏了一、二樣，是否還是可以打蔬果汁？

A

如果是日常保健用，只要把握主要食材：**甜菜根、番茄、紅蘿蔔**三項，漏了一、二樣食材，仍是可以打蔬果汁飲用，只是效果差一點。若是疾病保健，仍然建議將食譜中的材料全備齊，並配搭食譜中相關的營養品，才能有最佳的功效。

食材的選擇盡量以生機飲食爲主，若無法購買到有機無農藥的食材，也以天然新鮮爲優先考量，不選購人工加工產品，以避免食材營養流失。如市售有天然的紅蘿蔔，及去皮眞空包裝的小紅蘿蔔，當然選擇天然的紅蘿蔔是最安全、營養的。去皮包裝的小紅蘿蔔可能已經添加了氯化物質，而氯化物是致癌的劇毒。

◀打蔬果汁的必備食材：甜菜根、番茄和紅蘿蔔。

Q 是不是所有的五穀雜糧（如小米、小麥、紫米等），只要清洗，不用煮過即可打汁？

打蔬果汁前，有沒有特定的食材一定要煮過？

A 的確，五穀雜糧中的食材均是生的，只需沖洗乾淨便可，不要過度清洗，以免流失表皮營養（只有豆類需浸泡三至四個小時）。例如堅果奶中的材料，只要稍微洗淨後，就可攪打。

所有蔬果汁的材料，也不需烹煮，因爲只有全生的食材才有齊全的營養和植物生化素，攝取這樣的食物，才能有強健的免疫及健康的身體。

▲小米、小麥、紫米不需浸泡，洗淨後就可攪打。

Q 聽說有些水果不能放在一起打成果汁，不然會相互排斥或會釋放不好的毒素，是真的嗎？

A 的確如此。

所以建議選擇酸中帶甜的水果（例如莓果類便是微酸帶甜），就不怕會有這種問題，因爲所有多酸少甜的水果都是鹼性，不會互相排斥，反而具有相輔相成的作用。

▲選擇水果時，應選微酸帶甜如草莓、小紅莓、奇異果、檸檬等。

食材選購Q&A

蔬菜・辛香料

Q 紅色包心菜就是沙拉中常見的紫色生菜嗎？

A 是的。紅色包心菜也叫紫甘藍（Purple Cabbage），可改善胃病。因爲葉梗很硬，要細嚼三、四十下才能吞下，不然容易產生脹氣。

建議也可加入蔬果機中打成蔬果汁，能改善胃潰瘍、胃酸過多、解肝毒、通膽囊、降低肝指數，肝炎及肝癌患者也可食用。

▼紫甘藍有助於改善胃潰瘍、胃酸過多、降低肝指數。

Q 巴西利是什麼？哪裡可以買到？一定要新鮮的嗎？

A 巴西利即爲洋香菜（Parsley，又稱爲歐芹、荷蘭芹），可在各大超市購買或洽詢。

若買不到新鮮的，也可以用乾燥過的，但效果略差。

巴西利味道清涼苦澀，但放入口中細嚼數下後，便會有一股清香味，可以抑制口臭。若吃完大蒜等重口味食材，可口嚼巴西利，幫助改善口中味道。

▲巴西利有利尿、防膀胱炎、補腎及通膽囊等功效。

Q 百葉薊是什麼？哪裡可以買？

A 百葉薊（Artichoke）又名朝鮮薊，春夏季節盛產，是和蒲公英、乳薊同一科的蔬菜，可解肝毒、通膽囊，對於肝臟、肝炎、肝癌保健頗有成效。可在百貨超市或國外超市洽詢購買。若不易購買新鮮百葉薊，也可參考相關濃縮營養素的膠囊補充品。

可用清蒸或煮湯食用，清肝補肝。

▲百葉薊可用於肝臟保健。

Q 西洋菜就是西洋芹嗎？

A 不同。
西洋菜爲西洋水芹（Watercress），俗稱豆瓣菜，可至傳統市場或農產經銷中心詢問。西洋菜有助於肺臟保健及中和致癌物質。而西洋芹可用來平衡血壓及利尿。

▲西洋菜有助肺臟保健；而西洋芹有降血壓、利尿等功效。

Q 辛香料若難以取得新鮮的食材，是否可以用乾料替代？

A 辛香料的使用，若能用新鮮的食材效果最好，雖然也可用乾料替代，但效果不及新鮮的食材。

水果

Q 櫻桃番茄是什麼？哪裡買得到呢？

A 櫻桃番茄（Cherry tomato）就是台灣俗稱的聖女小番茄，果實較小，為圓球型，果面光滑圓整，富有光澤感。

超市及傳統市場均有販售。

櫻桃番茄具有茄紅素、胡蘿蔔素等植物生化素，可有效預防攝護腺癌、卵巢癌、心肺保健及保養眼睛。

▼小番茄可預防攝護腺癌、子宮和卵巢癌。

Q 馬士加丁葡萄是什麼？可以用一般葡萄替代嗎？

A 馬士加丁葡萄又稱爲麝香葡萄（Muscadine grape）就是果實大、紅色有籽的葡萄，比一般葡萄大很多。

百貨超市及外國超市可洽詢購買。

如果沒有馬士加丁葡萄，任何有籽的葡萄均可，但營養和功效較差。

馬士加丁葡萄營養豐富，具有保心防癌的效果。

▼若沒有馬士加丁葡萄，可選擇果實大、紅色有籽的葡萄。

Q

《不一樣的自然養生法》書中每道食譜都有特定的功效，有一些蔬果汁說可以添加其他的水果，若是沒有寫的部分，是不是完全不能替換或添加？

A

當然，不建議自行替換。可以諮詢有營養學背景的專業醫師或營養師。

若要加水果，也只能替換微酸帶甜的水果，如奇異果、葡萄柚或莓類水果，最好加上一個去皮的檸檬或青檸檬汁，進入胃中便轉換爲對人體有益的鹼性食物。

▲適合替換的水果以微酸帶甜者為佳，加檸檬更好。

Q 為什麼檸檬和柳丁都要去除果皮，只留白色的部分呢？

A 檸檬和柳丁的果皮含有很高的揮發油，能殺菌抗癌，但如果將這層果皮一起打成蔬果汁，就會讓蔬果汁變成很苦，口感不好。雖然白色的部分也會使蔬果汁變苦，但口感較好。所以如果不怕太苦，又是生機食材，便可留一點點果皮加入打蔬果汁。

▼檸檬和柳丁的果皮雖有殺菌抗菌功效，但口感不佳，可去皮留白膜打汁。

Q 黑棗是要吃新鮮的還是乾燥過的呢？

A 黑棗是乾燥過的李子，又名洋李乾（Prune），和一般中藥店所賣的不同。因爲李子是季節性水果，若沒有新鮮的，可以用曬乾的李子。新鮮的李子一天可吃五至六粒；曬乾的李子，一天可吃十二粒，有通便和防止骨質疏鬆症的作用。

因爲李子含有木糖（Xylose），食用之後，肝會將李子的木糖轉變成木糖醇（Xylitol），而木糖醇有助於人體吸收鈣質。

但需注意，糖尿病患者只可少量攝取，不宜多吃。

▲糖尿病患不宜多吃黑棗。（黑棗即乾燥過的李子，與中藥店不同。）

配料

Q 蜂花粉跟花粉有什麼差別？哪裡買得到？

A 蜂花粉（Bee Pollen）是蜜蜂採的花粉，花粉上如有任何毒性物質，蜜蜂會先被毒死，而無法將花粉帶到蜂巢裡；花粉則有可能是經由機器採收。因此蜂花粉是經蜜蜂唾液消毒過的，無毒、較安全的營養品。

目前台灣多爲蜜蜂採收的花粉，讀者購買時可參考商品成分，是否有註明蜂花粉。

蜂花粉可在各大有機商店或各地農產推廣中心購買。

▲蜂花粉具有最齊全的營養，可提高免疫功能及癒後補品。

Q

巴西堅果就是生腰果、杏仁果、核桃嗎？哪裡可以買？

A

巴西堅果又名巴西栗（Brazil nut），和生腰果、杏仁果、各大有機商品店有售。

巴西堅果每粒含有五十微克的硒（Selenium），具防癌抗癌功效，但人體每天只需攝取二百微克的硒，所以建議一天只要吃四至六粒的巴西堅果，避免攝取過多，以免肝中毒。

▼巴西堅果雖具有防癌抗癌功效，但不宜多吃。

Q 榛果的功效是什麼？哪裡可以買？

A 榛果（Hazelnut or filbert nut）是纖維含量很高的堅果，有降膽固醇、通便、防腸癌的效果。也是唯一可以多吃而沒有副作用的堅果，但一天最好不超過四十粒，以免磨傷大腸。可在有機商店、百貨超市、西點材料店或專賣堅果類食品店購買。

▲榛果能幫助排便、預防腸癌及降膽固醇。

Q 什麼是木糖醇？是好糖嗎？

A 木糖醇（Xylitol）在北歐已經使用了幾十年，而北歐的小孩子很少有蛀牙，北歐的婦女也很少得骨質疏鬆症，一九七〇至一九八〇年研究發現是因爲使用木糖醇的緣故。

科學家一直都在研究，爲什麼肝臟每天都會製造十克的木糖醇，到底用在何處？直到北歐的研究報告出來，才知道木糖醇會幫助骨骼吸收礦物質，尤其是鈣和鎂。而北歐的木糖醇是由樺樹皮所提煉的，美國的木糖醇則是由玉米心提煉。

我們的身體一天只製造十克木糖醇，這代表體內其實不需要太多的木糖醇，所以蔬果汁中只要加入少量（約五克），即可用來防止骨質疏鬆症，糖尿病患者只可少量使用。唯一要注意的是吃多時會瀉肚子。

我在《不一樣的自然養生法》書中其實不主張用糖，但爲了預防小朋友蛀牙，和避免骨質疏鬆症，才建議少量使用木糖醇。

不使用糖的原因，是糖爲癌細胞的重要糧食，也是罹癌的原因之一，因爲癌細胞分化快，需要許多的糖提供能量，爲了健康，應該避免吃太甜的飲食。選擇無糖飲食，才能遠離癌症危機。

現在有很多牙膏都用木糖醇來取代氟，也有很多口香糖用木糖醇來取代糖，都是根據木糖醇能防止蛀牙的研究而來。

雖然木糖醇是好糖，也不能過度使用，才是我所提倡的飲食中庸之道。

▲木糖醇是好糖，但仍應適量。

日常飲用Q&A

飲用前須知

Q 可以只喝蔬果汁，不吃三餐嗎？

A 書中並不建議讀者以蔬果汁代替正餐。

適合的蔬果汁份量爲小朋友一天喝二至三杯蔬果汁（視每個小朋友的接受度而定，可多加點葡萄或其他微酸帶甜的水果），大人則一天喝四至六杯蔬果汁。

不過，爲了增加充足的營養，和多元的植物生化素預防疾病、幫助成長，建議**主食除了多元化的蔬果，也要選用稍微發芽的豆類**。

因爲稍微發芽的豆類，在發芽時就會將所含有的蛋白質轉變成胺基酸，不需要經過胃中的蛋白酶分化，就能立即被肝臟吸收，而且所含的蛋白質和礦物質比肉類還要多，不只能夠減輕我們身體的體能負擔，也能馬上吸收營養。

我每天早上就是二杯蔬果汁當早餐；午餐前一小時再喝一杯，而午餐就是準備一大盤生菜沙拉；下午的點心就是二杯蔬果汁；晚餐前一小時再喝一杯，晚餐除了生菜沙拉，有時也會把發芽豆加點糙米、紫米、南瓜塊或地瓜及薑片、蒜末、香菜末，煮成豆米飯食用。

▲每天喝蔬果汁外，也要食用稍微發芽的豆類補充營養。

Q 我應該固定喝某幾種蔬果汁就好，還是要每一種都喝？

A 建議應先選擇和自己需求相關的蔬果汁來喝，最好的飲用方法是**連續一至二個星期喝同一道蔬果汁**，之後再替換成其他相關的蔬果汁，藉以吸收更多的營養和不同的植物生化素。例如想特別針對乳房作保健，那麼可以前二個星期選擇飲用乳房保健的蔬果汁，之後改喝保健卵巢的蔬果汁，再二個星期後則換成保健子宮的蔬果汁，這樣建議的主要原因，是因爲卵巢的不健全或子宮的不順通，都會連帶影響乳房的健康。

Q 保健養生蔬果汁要喝多久才會看到改善效果？

A 通常一個食療的平均改善過程大約四個月就可以看出成績，但仍要依據每個人的健康狀況與執行成效而定，有些人也可能只進行一、二個月，就有很大的進展；也有人是因爲狀況不良而需要六至八個月。

Q 如果沒辦法中餐和晚餐前一小時喝蔬果汁，可改任何時間飲用嗎？

A 只要是在空腹狀態下，任何時間都可以飲用蔬果汁。因爲空腹時喝，身體可以立刻吸收營養和植物生化素，這也是爲什麼要在中餐和晚餐前一小時先喝蔬果汁的理由。所以若喝完蔬果汁後，仍是覺得餓，就可以選擇適合自己的餐點食用。

▲空腹時喝蔬果汁，吸收營養效果最好。

Q 蔬果汁可以加冰塊嗎？

A 若是日常保健的話，加點冰塊較無所謂，但若是疾病保健，就不建議。因為冰冷的蔬果汁喝入胃裡面後，便要拿身體的體能來溫熱胃中的蔬果汁，身體才能吸收。

使用三點五匹的蔬果機，打出來的蔬果汁都是微溫的，能幫助身體立刻吸收，所以就算是從冰箱冷藏中拿出的微涼食材，透過蔬果機攪打後也是溫熱口感，所以不必擔心此問題。

▼若是疾病保健，蔬果汁不建議加冰塊打來喝。

Q 請問食材可以放到冷凍庫冰凍後，再拿出來打蔬果汁嗎？

A 可以放在冰箱冰藏，但不建議放在冷凍庫冰凍，避免溫度太低破壞酶素、維生素。拿出冷藏的食材，再沖洗乾淨，就可以拿來打蔬果汁。

Q 有人說大量且長期飲用蔬果汁，會造成體內的鈉含量過高，也會造成腎臟負擔是真的嗎？

A 書中的蔬果汁，均是天然無糖的新鮮蔬果製成，所以幾乎都是高鉀低鈉，並不會有高量的鈉。

只是蔬果汁中的高鉀含量，較不適合腎臟病友飲用，若腎臟病友想要飲用適合自己的蔬果汁，建議先諮詢自然醫學醫師及營養師。反而是市面上加工過的罐頭蔬果汁，容易有高鈉含量，飲用前最好先仔細看一下營養成分，才不會喝不到營養，反而增加身體負擔。

飲用後症狀

Q 如果每天喝蔬果汁，會不會將體質改變成偏寒或濕性？

A 不會的。

因爲每道蔬果汁食譜，都有配搭相關辛香料，來平衡冷寒或燥熱的屬性。

• **如果體質偏寒又手腳冰冷**：可多加點老薑和黑胡椒粒一同打蔬果汁；

• **如果屬濕熱體質**：那就多加一、二粒紅色朝天椒（或一小瓣蒜頭或三根芹菜），幫助平衡體質；

• **若是複雜及特殊的體質**：就需諮詢自然醫學醫師或營養師。

▲總是手腳冰冷的人，可在蔬果汁中加點老薑和黑胡椒粒，幫助平衡屬性。

Q 喝蔬果汁後，排便變紅是正常的嗎？

A 排便變紅是身體給你的警訊。

因為喝了加有紅色甜菜根的蔬果汁，卻無法被身體吸收，而且身體也間接告訴你：心臟或肝臟或免疫系統的健康有警訊，可適時的補充輔酶Q_{10}和必需脂肪酸。

所以，天天喝蔬果汁後，若心臟或肝臟和免疫功能有所改善後，那麼排便就會慢慢減少出現紅色的現象了。

同樣的，若是排便變青，就可能是身體警訊有膽囊相關問題，可參考書中改善膽結石的方法。

▼喝了含有紅色甜菜根的蔬果汁，並不會造成排便變紅。

Q 如果喝了蔬果汁，每次排便變稀，味道比較重，是正常的嗎？

A 只要掌握一天有三次排便的原則，排便稀或味道重，仍算是正常的排毒現象（排毒時大便爲深黑色具臭味）。

除了喝蔬果汁，還可早晚空腹或飯前三十分鐘補充助生素（內含多種以上優質益菌），來吃掉構成重味的壞菌，直到每天能有三次排便。

也可用將二湯匙或三湯匙的纖維粉，加入一杯堅果奶中飲用，一天二至三杯可幫助改善。

▲將二湯匙的纖維粉加水飲用，可幫助排便正常及改善異味。

Q 喝了蔬果汁後，皮膚好像變黃了，是因為紅蘿蔔嗎？是否可以不加紅蘿蔔？效果不變嗎？

A 紅蘿蔔的汁液是很美麗的橙紅色，並非黃色，是便宜又防癌的超強抗氧化明星，也具有窮人的人蔘之美名。

那麼為什麼喝了紅蘿蔔汁後皮膚會變黃呢？讓我把理由解釋清楚，相信你就會對紅蘿蔔的防病、防癌及抗老的功能感激不盡，並會拚命地多喝含有紅蘿蔔的蔬果汁了。

依據人體的運作，膽囊天天分泌黃色的膽汁，幫助人體代謝脂肪，做完這工作後，膽汁就會被送進大腸排出體外。

但如果我們每天只有一次大便或便祕時，留在大腸中的黃色膽汁便會被吸回並流入血液中（血液中含有很多氧氣，也會將部分的黃色膽汁變成青黃色），若天天如此累積，血液中便會含有愈來愈多的黃色膽黃素，人自然容易生病和老化。

這就是爲什麼生病和衰老時，我們的皮膚會看起來枯黃或青黃，缺乏光澤的原因。

其實紅蘿蔔的植物生化素α和β類胡蘿蔔素，會將血液中的膽黃素由皮膚排出來，皮膚才會變成黃色；換句話說，愈多的紅蘿蔔汁，將會排出愈多的膽黃素，直到血液完全沒有了膽黃素，這時皮膚才會開始變成像彩霞般美麗的橙紅色；意即此時β類胡蘿蔔素已經到達皮膚的最外層，受到陽光紫外線的照射後，轉變成維生素A，而維生素A正是防癌、美膚、保健視力的良方。

所以要多喝有添加紅蘿蔔的蔬果汁，而不是只單純喝紅蘿蔔汁，也可以多喝乾淨的水，讓膽黃素藉由尿液排出體外，減低由皮膚排出。

▲紅蘿蔔不只是窮人的人蔘，還有超強抗氧化功能。

Q 連續喝了幾天後皮膚有異狀（例如起疹子、會癢），還可以繼續喝嗎？

A 當然可以繼續喝，這其實是蔬果汁的排毒現象，因爲有可能是之前使用過多皮膚相關藥物、化妝品等，殘留體內所造成的。所以蔬果汁會將以前殘留的毒素排出，以往藥物、化妝品使用的時間愈長，相對的也會將改善的時間拉長。

如果有以上症狀，除了喝蔬果汁，也可選用一些對皮膚有幫助的營養品（如美髮美甲等）。此外，諮詢專業皮膚科醫師也是很重要的。

若是喝了一個月後，一樣有過敏症狀，有可能對某一食材過敏，建議可稍停飲用蔬果汁，並諮詢專業自然醫學醫師或營養師，個別設計蔬果汁食譜及搭配目標營養品。

Q 喝了蔬果汁一陣子後，若有不適症狀（如拉肚子、想吐、胃痛、脹氣、牙齒腫脹等），是不是還要繼續喝？

A 這有可能是蔬果洗不乾淨或喝太快，或是腸內益菌缺乏所造成。為了避免脹氣，請謹記每喝一口蔬果汁都要在口中細嚼十幾下後再將其吞下。

如果有時會胃痛，可能是因為以前就有慢性胃潰瘍，建議可適量補充助生素及輔酶Q_{10}，一天三次，在喝蔬果汁前三十分鐘一同服用，或諮詢專業自然醫學醫師及營養師了解身體的健康狀況。

▼正確清洗蔬果（可參見本書第三十八頁），才能有效避免脹氣或拉肚子等現象。

女性飲用須知

Q 女生的生理期可以喝蔬果汁嗎？

A 仍是可以飲用，但生理期時就要減少薑和薑母粉，因爲它們是行血的辛香料，會造成經血量過多。

但若是平時經血量便過少的人（一般經期爲五至七天，若低於三天便爲經血量過少，超過七天便爲多），就不用減量反而多加一點。

▲生理期時的蔬果汁要減少薑的用量。

Q 為什麼我的經期原本已經停了很久，又突然來了，是正常的嗎？

A 首先應該了解爲什麼經期原本已停，卻又突然來了的原因。

- 第一種可能是因爲每天吸收全營養的蔬果汁，調整了體質，而讓身體有返老還童的效果；
- 第二可能是未改善自己錯誤的生活及飲食習慣，已有子宮細胞不正常增生的現象，應該立刻徹底改變自己的飲食習慣，及養成每天飲用六杯《不一樣的自然養生法》中第二百三十頁「卵巢攝護腺保健蔬果汁」，和搭配相關營養品，改善自己的子宮健康。

也建議尋求當地醫師進行健康諮詢。

Q 想懷孕，喝蔬果汁會不會有影響？

A 預備懷孕的女性，建議可藉由喝蔬果汁，將自己的體質調整好，讓身體更加健康。

至於會不會太寒冷，則因個人體質而異（建議諮詢自然醫學醫師或營養師）。

所以我建議女性朋友，一定要先了解自己的體質，再請專家或營養師特別針對個別體質，設計適合的蔬果汁及目標營養品。

▲預備懷孕的女性，可先諮詢專業的醫師及營養師，共同討論選用適合自己的飲食及蔬果汁內容。

Q 已經懷孕，能不能繼續喝蔬果汁呢？在選材上有需要特別注意的地方嗎？

A

如果本來在懷孕前就有喝蔬果汁的習慣，如今懷孕了，就可以繼續喝下去。但要在蔬果汁中多添加黑芝麻和堅果類，用以增加好的油酸和鈣質；此外，也可以補充羊奶或堅果奶。

但如果不是在懷孕前就有習慣喝蔬果汁，則建議應該先諮詢自然醫學醫師或營養師，量身打造適合自己體質的蔬果汁。

若是懷孕前後都有喝蔬果汁的習慣，快要臨盆時一天可繼續喝至六杯，減少臨盆陣痛。產後也可多加些老薑、蘆筍和黑胡椒粒繼續飲用，對餵母乳的媽媽及嬰兒均有益處。

▼產後若要喝蔬果汁，可多加老薑、蘆筍，有助餵母乳的媽媽。

Q 小朋友應該怎麼喝蔬果汁？

A 書中提供的二十四道蔬果汁，有很多都適合小朋友（斷奶後的嬰幼兒）飲用，例如強健身體、強化筋骨、肺部保健等都對小朋友有幫助。但為免小朋友因為口味問題而排斥不願意喝，可多加點葡萄、蘋果等甜味水果，讓小朋友比較容易接受。

至於一天是否能喝到二至三杯蔬果汁，則視小朋友的接受度，或採循序漸進方式，不必勉強要馬上達到。

任何年齡的小朋友都可以喝，只要視每個小朋友的接受度調整；嬰幼兒在斷奶後，也可以飲用稀釋過的蔬果汁（水量的稀釋，看個人需求），但不能將蔬果汁添加在副食品中，應該是分開飲用。

銀髮族飲用須知

Q 老人家應該怎麼喝蔬果汁？

A 銀髮族在選用蔬果汁時，首重和自己身體狀況相關的蔬果汁。

- **若是一般保健**：也是早餐二杯、午晚餐前一小時各一杯。
- **若是疾病保健**：便提高一天的飲用量到六杯。蔬果汁的溫度最好是室溫或溫熱，不建議飲用冰涼的蔬果汁。
- **若有服藥的老人家**：應該要先喝蔬果汁再用餐，用完餐後再服藥，來改善身體健康。

特殊飲用須知

Q 有貧血症狀時，是不是可以繼續喝蔬果汁？

A 其實有貧血症狀時，喝蔬果汁反而能幫助調整身體異常。你可以在蔬果汁中多加些菠菜、老薑及黑胡椒，或適量補充維生素B_{12}，都有助於增加鐵質的攝取量。當然，最好的方法，還是一方面諮詢熟悉的自然醫學醫師搭配營養品，一方面改善飲食，並多喝蔬果汁及每天不熬夜。

▼蔬果汁中加入菠菜、黑胡椒及老薑，有助改善貧血。

各類疾病問題

防癌抗癌蔬果汁

Q 癌症化療時可以喝蔬果汁嗎？會不會有感染的問題？

A 癌症化療時容易傷害體內細胞、器官，以及免疫系統和自癒系統，因此需要有足夠的蛋白質、碳水化合物、維生素、礦物質、大量的抗氧化劑（Antioxidants）以及豐富的植物生化素來供應身體的需要。

但是煮過熟後的蔬菜、五穀，易將大部分的營養素破壞，無法提供充足的養分支持疲勞的身體，幫助化療患者提升體力。

只有選用新鮮乾淨的蔬果和微發芽的豆類，生食後才有齊全的營養，幫助

身體打勝仗。

這是因爲全生的蔬果汁和全生的蔬果沙拉，都含有各種各樣的維生素、酶素、蛋白質、礦物質、碳水化合物、脂肪、油酸、天然激素、微量物質及救命的植物生化素等。

這些豐富且齊全的營養能充分供應和保養身體的免疫及自癒系統，同時吃進胃以後又不會消耗體能，就可以立刻被吸收，達到快速提升精力和體力的效果。

相反地，經過煮熟的蔬菜，不僅會流失部分維生素及全部的酶素，讓蛋白質、礦物質及碳水化合物產生質變，還會將油酸、脂肪、賀爾蒙氧化。

同時吃進胃裡面後，還要耗費身體內大量的酶素、維生素及抗氧化素，來幫助分化和吸收有限的營養，讓已經飽受化療破壞摧殘，快要崩潰的身體和免疫系統，承受雪上加霜的加倍負擔。

書中的蔬果汁，除了最重要的生鮮蔬果材料，關鍵在於配搭得當的配料，

尤其是各種辛香調味料，如蒜頭、老薑、香菜、迷迭香、九層塔、肉桂粉、丁香粉、薄荷葉、辣椒等，都是天然可抗感染、殺細菌的食材，相互配搭得宜有相輔相成的作用，還能引進更多的好菌、助生菌，控制一切外來的壞菌，在還未抵達腸胃時，就能被及時消滅，保護我們不受感染。

▲辛香調味料，如蒜頭、老薑、香菜等，都是天然抗菌的食材。

Q 為什麼有人說癌症患者不能吃葡萄柚？

A 葡萄柚可預防乳癌、卵巢癌、腸癌，具有抗癌功效。並且也可幫助排便，減少體內吸收毒素的可能，所以癌症患者反而可以多吃葡萄柚。但在食用時，應該去掉果皮後，保留白色的部分，慢慢的細嚼才能幫助吸收更多的植物生化素。

Q 《不一樣的自然養生法》中第二百三十二頁的防癌抗癌蔬果汁對喉癌有幫助，那是不是也對口腔癌有幫助？

A 是的，此道蔬果汁對預防口腔癌及食道癌也有幫助。但如果已檢查出有任何癌症，都應該立刻配合專業的醫生團隊，進行適當且積極的醫療，同時諮詢自然醫學醫師或營養師搭配特別設計的個人蔬果汁，以及個別的目標營養品，務必將體內毒素降低，三管齊下一起對抗癌症，效果才會更好。

Q 罹患乳癌的患者，建議可以喝《不一樣的自然養生法》中的哪一道蔬果汁？

A 可先參考《不一樣的自然養生法》中第二百二十八頁「防癌強身蔬果汁」、第二百三十頁「卵巢攝護腺保健蔬果汁」，並在三餐中加入全生的蔬果沙拉食用（沙拉中一定要有二分之一杯微發芽的黃豆）。

已經罹患乳癌的患者，應該尋求專業的醫生治療，同時搭配依照個人體質設計的蔬果汁，以及相關營養品。

只要再給身體一次機會，改善免疫及自癒系統，有信心的對抗病魔，就有機會重回健康。

Q 肺癌患者可以喝《不一樣的自然養生法》中哪一道蔬果汁？

A 書中所介紹的每一道蔬果汁，其最大的功效主要用來防病、防癌及防老，讀者們若能確實配合，將來年老時，自然能更健康少生病。肺癌患者可先參考書中第二百四十四頁的「強化肺腸蔬果汁」，並配合專業醫生治療，諮詢有經驗的營養師，搭配個人特製蔬果汁，以及相關的營養輔助品，才是最佳的保健策略。

Q 大腸癌患者要喝哪一道蔬果汁？

A 可先參考《不一樣的自然養生法》中第二百四十八頁「腸胃道保健蔬果汁」，並配合專業醫生治療，諮詢有經驗的營養師，搭配個人特製蔬果汁及相關營養保健品。

每天保持四至五次的排便習慣。

Q 肝癌患者要喝哪一道蔬果汁？

A 可先參考《不一樣的自然養生法》中第二百五十頁「強化肝臟功能蔬果汁」，並配合專業醫生治療，諮詢有經驗的營養師，搭配個人特製蔬果汁。記得，在蔬果汁及沙拉中，多加點甜菜根及蒲公英，一天喝六杯以上的蔬果汁和多吃蔬果沙拉。若是可購買到百葉薊，每天可將一個百葉薊蒸熟食用，並諮詢自然醫學醫師補充相關肝臟保健營養品。

同時遠離煎、炸、炒、烤、燒，及咖啡、汽水和菸酒。

Q 因胃癌且已切除全胃的人可以喝蔬果汁嗎？切除半胃的可以喝嗎？

A 當然可以喝，因爲喝蔬果汁是爲了得到更齊全的營養及植物生化素，更容易消化並減輕胃的負擔。若擔心喝了不適合自己的蔬果汁，得不到應有的效果，仍建議最好可先諮詢專業的營養師，才能眞正讓健康獲得改善。

心腦血管蔬果汁

Q 有高血壓、糖尿病的患者，如果持續喝蔬果汁一段時間後，血壓、血糖都控制良好，可以停藥只喝蔬果汁就好嗎？

A 由於每個人身體的疾病狀況，會受到許多情況影響而時時產生變化，因此如果血壓及血糖，因持續喝蔬果汁而保持穩定的控制，究竟需不需要停藥，建議應該先諮詢醫師，商討是否需要減藥或停藥等問題。所以一旦改善症狀，就應立即和醫師討論藥物使用問題，才能避免血壓或血糖過低。

Q 若長期服用降血壓藥物，要先吃藥還是先喝蔬果汁？

A 藥物最好不要空腹服用，所以建議要先喝蔬果汁。喝完蔬果汁，吃完飯或沙拉後，就可以吃藥。

此外，有高血壓的人應養成每天定時測量血壓的習慣，掌握自己的血壓高低，適時和自己的醫生保持溝通。若血壓控制良好，就可以諮詢醫師，做藥物劑量的調整或停藥。並維持每天飲用蔬果汁，才能保持正常的血壓。

Q 為什麼服用降高血壓及膽固醇藥物時，不能食用柑橘類等水果？

A 因爲柳丁、柚子及橘子都含有具稀血功效的植物生化素。食用後會幫助稀血，自然降低血壓及膽固醇，如果此時又跟著服用藥物，血壓會將原本已降低的血壓降得更低，而心臟便可能會無力運作產生衰竭的危險。

所以在服用藥物時，最好少食用柑橘類水果，避免血壓降的過低；若血壓控制良好，停止藥物時，就可以選擇天然的水果，降低高血壓及膽固醇了。

呼吸道保健蔬果汁

Q 《不一樣的自然養生法》中第二百四十頁「暢通呼吸道蔬果汁」，可以改善過敏，小朋友可以喝嗎？

A 這道蔬果汁適合任何年齡層的人，除了嬰兒（還未斷奶）不適合飲用外，大人、斷奶後的小朋友都可以喝。大人最好一天能喝足六杯；小朋友每次喝二百西西，一天三次。

▲柳丁、柚子及橘子具降血壓及膽固醇的功效。

消化道保健蔬果汁

Q 助生素可以加入腸胃道保健蔬果汁中，一同攪打後服用嗎？

A 不可以。助生素最好是空腹時服用，或是喝蔬果汁前三十分鐘先服用。因爲益菌在空腹時先到達腸胃，可保護腸胃壁細胞，功效較好。

糖尿病改善蔬果汁

Q 不同型的糖尿病，喝的蔬果汁有哪裡不一樣？

A 不管是第一型或第二型的糖尿病患，都可以喝同一道《不一樣的自然養生法》中第二百五十四頁「改善高血糖高血壓蔬果汁」，唯一不同的是，兩者在配搭辛香調味料的種類和份量有差異。

第一型糖尿病患，大多數屬於消瘦體型，所以不能使用葫蘆巴粉（Fenugreek）。因爲葫蘆巴粉有幫助減肥的效用，最好改用第一型糖尿病患救星的小茴香粉（Cumin powder），達到降血糖，恢復胰臟乙類細胞（乙類細胞是生產胰島素的細胞）更生的效果。

而第二型糖尿病患大多數是肥胖體型，又容易有膽固醇、高血壓、健忘及頭暈等併發症問題，因此要視個別情況而定：

- **如果僅是肥胖**，那麼蔬果汁中應該加二分之一小匙葫蘆巴粉，一天喝三至四次。
- **如果有肥胖又有高膽固醇**，那麼蔬果汁中要加二分之一小匙（一小匙等於五克）葫蘆巴粉，以及二分之一小匙丁香粉，一天喝三至四次。

◀葫蘆巴粉可降血糖、血脂、膽固醇及減重，第一型糖尿病患者不建議選用。

- **如果肥胖又高血壓**，那麼蔬果汁中要加二分之一小匙葫蘆巴粉，以及一小瓣蒜頭，一天喝三至四次。
- **如果雖肥胖卻很健忘**，那麼蔬果汁中可加二分之一小匙葫蘆巴粉，以及二分之一小匙鼠尾草粉（Sage powder），一天喝三至四次。
- **如果肥胖又容易頭暈**，那麼蔬果汁中要加二分之一小匙葫蘆巴粉，以及四分之一小匙肉桂粉，一天喝三至四次。

總之，糖尿病是生機飲食食療中，最容易看到效果的（有時十天，有時二至三個月），只要做到「戒口」和努力喝蔬果汁，並且常常吃君達菜、苦瓜、黃瓜、南瓜及豆角，同時不論是打蔬果汁還是做沙拉時，別忘了加些肉桂粉、小茴香、香菜、蒜頭及丁香粉等辛香料。

▶丁香粉為降血糖、三酸甘油脂、膽固醇的辛香料。

Q 糖尿病患者喝了一個禮拜的蔬果汁後，手腳冰冷、後背痠痛，是正常的反應嗎？

A 這不是正常的反應。

因爲降血糖蔬果汁效果很好，多數的糖尿病患者喝了一段時間後，血糖狀況普遍都會獲得改善。若除了飲用蔬果汁，又按時服藥，卻忘記每天早上空腹時，測量血糖高低，就可能出現手腳冰冷、後背痠痛的症狀，這表示有血糖過低的現象。

建議應和醫師討論減藥用量或停藥，才能避免血糖過低的現象。

調整藥物用量後，再飲用蔬果汁，才能避免危險！

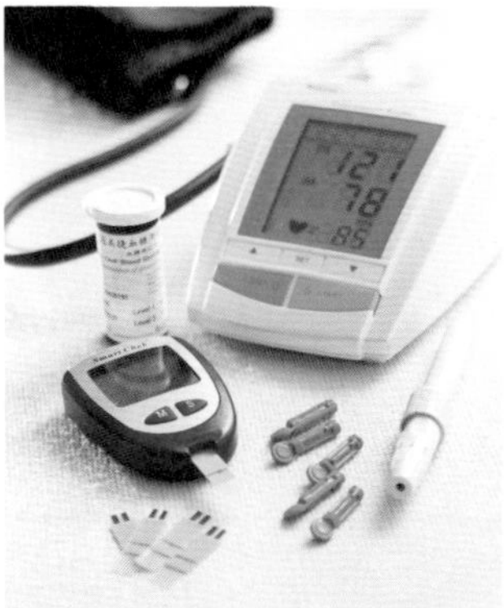

▲應養成隨時測量血糖及血壓的高低，才能避免手腳冰冷等症狀。

Q 糖尿病患者已經停藥，可以繼續喝「糖尿病改善蔬果汁」嗎？

A 已經停藥的糖尿病患者，當然可以繼續喝蔬果汁。

當血液中的糖分已經正常時，蔬果汁不會使血糖繼續下降，只會保持血糖的正常。

Q 隱性糖尿病患者，應該喝哪一道蔬果汁？

A 以下提供「預防糖尿病蔬果汁」，份量爲一天四至六杯；具淨化血液、預防糖尿病等功效。

預防糖尿病蔬果汁

材料

蔬菜：中型甜菜根一顆、紅蘿蔔二條、小黃瓜一條、菠菜一小把（六至七葉）、紫色高麗菜一大片。

水果：番茄二個、藍莓半杯、奇異果二個、大紅葡萄十粒。

配料：肉桂粉四分之一小匙、薑一小塊（約半個拇指）、香菜四至五枝、亞麻子二小匙、芝麻三小匙、卵磷脂二小匙、蜂花粉二小匙、水二又二分之一杯、海鹽少許。

作法

1. 所有食材洗淨；甜菜根去除有泥土的外皮；紅蘿蔔、小黃瓜、番茄切塊備用。
2. 奇異果去皮切塊。
3. 把蒸餾水倒入蔬果機內，再放入所有材料（卵磷脂先不放），一同攪打成汁，最後加入卵磷脂，用低速攪打十秒即可。

◀肉桂粉可改善血糖的新陳代謝。

其他疾病蔬果汁

Q 腎臟病患者是否可喝書中的蔬果汁？

A 已經在洗腎的病人，並不適宜多吃蔬果！但若還沒有嚴重到洗腎階段，只是單純的腎臟病患，**書中所提到的蔬果汁也都不適合選擇飲用**，必須請有經驗的自然醫學專家或營養師，爲你特別設計個別的蔬果汁配方，同時搭配高份量的營養補充品，以期改善腎功能並保護心臟，因爲腎功能有問題時會帶來血壓過高，影響心臟功能。

Q 請問腎結石的人可以喝蔬果汁嗎？

A 腎結石患者均可喝《不一樣的自然養生法》中任何一道保健蔬果汁，也可諮詢有經驗的自然醫學醫師，搭配個人特製蔬果汁及相關營養保健品。

同時每天早上擠四顆青檸檬汁，加入五百西西的水中飲用，並且每天喝八杯蒸餾水。

不吃精製粉食物、肉類和牛奶製品，保持運動的習慣。

Q 癲癇患者可先喝《不一樣的自然養生法》中哪一道蔬果汁？

A 可以先參考《不一樣的自然養生法》第二百三十四至二百三十八頁「心腦血管保健蔬果汁」。

如果已經定時服藥，就應該諮詢自然醫學醫師或營養師，找出癲癇的原因，並設計個人化的蔬果汁，搭配營養補充品，調整飲食習慣，多管齊下改善身體狀況。

▲煎炸炒烤不但容易流失營養，還會增加身體負擔。

飲食原則需注意以下事項：

- 避免使用煎、炸、炒、烤及烘的烹調方式。
- 禁吃所有牛奶及奶製品，包含牛奶、乳酪、牛油、酸奶、巧克力等。
- 避免吃麵包、麵條、包子、饅頭、餅乾、蛋糕、汽水、糖果等甜食。
- 每週只能吃二次清蒸或水煮的魚及一次水煮蛋（請盡量選擇有機蛋），但需注意，因個人體質不同，所以狀況未改善時不建議吃蛋，需等好轉後，再開始每週吃一次有機水煮蛋。

▲癲癇患者避免吃麵包、饅頭、蛋糕、汽水等甜食。

Q 類風溼性關節炎可先喝《不一樣的自然養生法》中哪一道蔬果汁？

A 可以參考飲用《不一樣的自然養生法》中第二百一十四頁「強化筋骨蔬果汁」，但最好仍要依據每個人的體質和狀況，設計個別化的蔬果汁，並配搭相關的營養補充品。

飲食原則需注意以下事項：

- 避免使用煎、炸、炒、烤及烘的烹調方式。
- 禁吃所有牛奶及奶製品，包含牛奶、乳酪、牛油、酸奶、巧克力等。
- 不能吃花生、腰果及開心果。
- 不能吃豆腐和黃豆製品（除了卵磷脂）。
- 每週只能吃一次清蒸或水煮的魚及一次水煮蛋。
- 只能吃少量的麵粉製食物，若能不吃是最好的。
- 天天吃二分之一杯微發芽的扁豆或綠豆。

▲類風溼性關節炎患者，應禁食花生、腰果等。

Q 紅斑性狼瘡在飲食上應該怎麼吃？

A 首先要徹底改變以前錯誤的飲食，避免牛奶類製品、苜蓿芽和所有的肉類（即使是O血型的人），建議調整成書中A血型所建議的食材，並每天飲用六杯書中第二百一十四頁「強化筋骨蔬果汁」，並且執行以下飲食建議：

- 每天將四杯青檸檬擠汁後，加入五百西西的淨水中。
- 可多吃亞麻子和芝麻子粉。
- 多按摩雙腳的脊椎反射區和腎上腺反射區。
- 不要做太劇烈的運動，也不要曬太強烈的太陽。（可在下午四至五點時，進行二十分鐘的快步走路。）
- 保持每天有三至四次的排便。
- 建議諮詢自然醫學醫師或營養師，搭配相關營養補充品。

◀亞麻子

Q 子宮、卵巢已經切除了，該如何補充營養？

A 我建議應該先找出子宮或卵巢異變的原因，加以避免此致癌因素，再來根據個人體質設計個別化蔬果汁，改善不正確的飲食。

飲食原則需注意以下事項：

- 可以喝《不一樣的自然養生法》中第二百三十頁「卵巢攝護腺保健蔬果汁」和乳房保健蔬果汁。
- 不吃精製粉類的製成品。
- 不碰煎炸炒烤的食物。
- 不吃牛奶類製品。
- 每週只吃一、二次肉類和一、二次水煮熟的有機蛋。
- 天天喝一杯堅果奶。

Q 卵巢拿掉後，是否可以吃輔酶Q10？

A 當然可以。

輔酶Q10是身體每個細胞都需要的營養，可用來輔助細胞將燃料送進每個細胞內的線粒體（發電廠），生產出能量（ATP）；如果我們缺乏能量，就會顯得沒有精力，很容易疲倦。

Q 罹患子宮肌瘤，可挑選哪一道蔬果汁？

A 可以挑選保健子宮的蔬果汁，或《不一樣的自然養生法》中第二百三十頁「卵巢攝護腺保健蔬果汁」。但最重要的是應該先諮詢自然醫學醫師，查出變異原因，改善飲食及生活習慣，再依據個人需求，調配出適合的蔬果汁，同時搭配目標營養品。

飲食原則需注意以下事項：

- 不能喝汽水、咖啡、茶、奶茶等刺激性飲料。
- 避免食用一切麵粉製的食物，如麵條、麵包、包子、饅頭、蛋糕、餅乾、蔥油餅、月餅等。
- 應該避免煎、炸、炒、烤、燒的食物，以免良性肌瘤變成惡性癌症。
- 避免牛奶和奶製品，如牛奶、牛油、乳酪、酸奶、巧克力等。
- 每週只能吃二次清蒸或水煮的魚，以及二次水煮蛋。（有時需依個人血型或狀況增加或減少。）

Q 罹患子宮肌瘤是否可以吃蜂花粉？

A 當然可以吃蜂花粉。

蜂花粉富含完整的營養素和植物生化素，可以幫助消除疲勞，提供豐富的蛋白質和胺基酸、平衡荷爾蒙、增加免疫力、改善花粉症，增加精力、記憶力及體力。

Q 骨質疏鬆症患者可以喝哪一道蔬果汁？

A 可先喝《不一樣的自然養生法》中第二百一十四頁「強化筋骨蔬果汁」，及「補充鈣質生菜沙拉」，其功效爲補充鈣質、預防骨質疏鬆症。食譜如下：

補充鈣質生菜沙拉

材料

蔬菜：甜菜根半個、紅蘿蔔半條、西生菜少許、高麗菜少許、甘藍菜少許、菠菜少許。

水果：番茄二個、藍莓一大匙、奇異果一個、蘋果半個、李子二個（或無核乾李子）。

配料：杏仁片一小匙、枸杞三大匙、香菜三至四枝、薑片一至二片、蒜頭二分之一小瓣。

調味料：橄欖油一大匙、芝麻油一小匙、醬油一小匙、檸檬汁少許。

作法

1. 所有食材洗淨；紅蘿蔔、甜菜根、西生菜、高麗菜切絲；甘藍菜、菠菜切段。
2. 番茄切塊；奇異果去皮切片；蘋果切片；李子去核。
3. 所有食材拌勻，將橄欖油、芝麻油、醬油混合均勻淋在生菜沙拉上，再淋上一些檸檬汁，即可食用。

Q 大腸激躁症患者要怎麼喝蔬果汁？

A 可先參考《不一樣的自然養生法》中第二百四十八頁「腸胃道保健蔬果汁」，並配合專業醫生治療，諮詢有經驗的營養師，搭配個人特製蔬果汁及相關營養保健品。

Q 憂鬱症患者該怎麼喝蔬果汁？

A 可以先參考《不一樣的自然養生法》第二百三十四至二百三十八頁「心腦血管保健蔬果汁」。

飲食原則需注意以下事項：

- 避免食用所有牛奶和奶製品，如牛奶、牛油、乳酪、酸奶、巧克力等。
- 避免一切麵粉製的食物，如麵條、麵包、包子、饅頭、蛋糕、餅乾、蔥油餅、月餅等。

- 不要隨意吃肉（需依個人血型而定，改變肉類的選擇）。
- 每週只能吃一次清蒸或水煮的魚肉，以及二次水煮蛋。（需依個人的狀況而調整。）
- 不要喝汽水、咖啡、茶、奶茶等及含有酒精成分的刺激性飲料。
- 避免所有甜食，如糖果、蜂蜜、巧克力等。
- 不能吃香蕉、梨子、西瓜、甜瓜、哈蜜瓜、木瓜、榴槤、芒果等高糖分水果。
- 盡量保持愉悅的心情，可多交志同道合的朋友，利用祈禱或冥想保持心靈的平靜。

▲憂鬱症患者應減少高糖分水果，如木瓜、香蕉、哈密瓜等。

Q 失眠要喝哪一道蔬果汁？

A 可先參考《不一樣的自然養生法》中第二百三十四頁至二百三十八頁「心腦血管保健蔬果汁」，及搭配黑激素，食用份量請先諮詢自然醫學醫師。飲食上可多吃維生素B含量高的食材，如糙米、紅米、黑米、薏仁米等五穀類，晚餐時不吃肉類及蛋，因爲蛋白質轉變成胺基酸後，會爭先恐後的想通過血腦障壁（Blood brain barrier），干擾睡眠。

Q 自閉症患者要喝哪一種蔬果汁？

A 可先參考《不一樣的自然養生法》中第二百三十四至二百三十八頁「心腦血管保健蔬果汁」，並諮詢自然醫學醫師，搭配個人特製蔬果汁及相關營養保健品。建議自閉症患者要先找出疾病的起因，加以調整飲食及生活習慣，才能眞正贏回健康。

飲食習慣上要遵守以下大原則：

- 避免使用煎、炸、炒、烤及烘的烹調方式。
- 禁吃牛奶及奶製品，如牛奶、乳酪、牛油、酸奶、巧克力等；可以選擇飲用羊奶。
- 不能吃麵粉製品，如麵包、麵條、包子、饅頭、餅乾、蛋糕等。
- 避免甜食如糖果、汽水等。
- 每週只能吃二次肉（需依個人血型而定，做肉類的選擇，可參考《不一樣的自然養生法》中的血型飲食建議）及二次水煮蛋。
- 天天吃大量的香菜、巴西利和迷迭香。

Q 有沒有改善近視的蔬果汁？

A 大人和小孩若有近視，均可以參考以下「改善視力蔬果汁」改善，並搭配相關營養補充品。

改善視力蔬果汁

材料

蔬菜：中型甜菜根一個、紅蘿蔔二條、菠菜一棵、玉米一條。

水果：紅番茄二個、藍莓一杯、奇異果二個、黑色有籽葡萄二分之一杯。

配料：蒸餾水二又二分之一杯、海鹽一小匙、薑黃粉一小匙、蜂花粉二小匙、枸杞三大匙、亞麻子二小匙、黑芝麻四小匙、南瓜子一小匙、卵磷脂二小匙。

作法

1. 先將所有食材洗淨；甜菜根去除有泥土的地方；紅蘿蔔及番茄切塊；玉米削下玉米粒備用。
2. 奇異果去皮切塊。
3. 把蒸餾水倒入蔬果機中，再放入除了卵磷脂外的所有材料，一同攪打成汁後，加入卵磷脂，用低速攪打十秒，即可飲用。

▲改善視力蔬果汁，大人一天可喝六至七杯；小朋友則是三至四杯即可。

以上材料可打成六至七杯（一杯二百五十西西）的蔬果汁，大人可以早上喝二杯當早餐，午晚餐前半小時各一杯，其餘的份量在空腹時飲用，在一天內喝完全部的蔬果汁。小朋友的話，則是份量減半。

要注意的是，喝進每一小口蔬果汁時，都要放在口中慢嚼十幾下後才吞下，讓大腦知道你正在吃什麼食物，好指揮相關的器官分泌相關的酶素，來分解和吸收營養。

此外，中餐和晚餐的飲食狀況可以如常，但最好仍應多吃蔬果汁內的食材種類，以及各種水果，來增加更多相關的營養素和植物生化素，並搭配相關營養品補充不足之處。

〔後記〕

給全世界讀者的一封信

《不一樣的自然養生法》此書的出版，最主要是想幫助大家了解人為何會生病？為什麼會得癌症？就是因為吃錯了不該吃的，又吃了許多失去營養的食物，又不肯把錯誤的生活習慣改進，所以提供另一套防病、防癌、返老還童、青春常駐等的保健方法，喚起大家注重健康、遠離疾病。

我一向都自稱是「神的僕人」，因為我的命是神救回來的。而在世界各國開會或演講時，總是被問到我到底醫好過多少人，我的回答只有一個：「我沒有醫好過任何一個人，我只幫助他們應該怎麼做，他們聽了調整飲食及生活，才改善了自己的健康，那是病人自己的功勞，因為他們聽了我的建議，努力自救才會好轉。」所以很多人問我：「什麼時候才能重回健康？」我會對他們說：「老師教了學生，但考試成績好壞要問自己，有多用功就能考多好的成績；身體健康也是如此，你對身體付出幾分，健康就會回饋你幾分，一分耕耘一分收穫的結果。」

同時感謝許多讀者對我的鼓勵、讚賞及感恩，重回健康的你們就是考一百分的好學生。

我也要再次向所有讀者致上最深的謝意，感謝你們每位買過一本、五本，數十本或數百本《不一樣的自然養生法》送給親友，及公司老闆買了幾千本送給員工。如此一來，不但幫助自己及至愛親友，也推廣了大愛讓員工重拾健康。同時幫助世界各地每個角落，幾乎被社會遺忘的弱勢孤兒及傷殘的兒童，讓他們可以買書受教育，使他們也享有同等教育的機會；也幫助了很多孤獨老人得到適當的照顧，享受人間溫暖；援助許多慈善教育機構，使世界各地都種下愛的種子，讓世界每個角落都有愛。

因為你們出的一份力量，讓每本書的版稅得以捐獻出去，幫助需要幫助的人。所以每位讀者都是這份愛的力量中的一員，應該感到自豪，也請大家能一起多行善舉。在經濟低潮的年代，更加要把健康的理念及愛心的火把延續下去。

我還是不厭其煩的提醒讀者，要把這兩本書反覆多看幾遍，因為書是死的，要靠讀者詳讀後，好好去運用實踐，才能把書活化並延續。

最後，希望健康食品店及有機食品店的業者，因為這本書能以服務讀者、貢獻社會的精神為首位，幫助教育社會大眾，以保健方法減少病痛，千萬不要逾越界線。並一同和自然醫學及生機飲食的專家互動合作，團結一致，共同為社區民眾的健康，努力推廣自然養生法。

同時也歡迎各界專家，一同投入自然醫學的領域，了解自然的方法供應身體所需的營養，藉此提高體內的免疫及自癒能力。

再一次謝謝各位讀者對我的鼓勵與愛護，並以實際行動支持做善事，真是萬分感激。

願神賜福給大家，永遠健康、平安、快樂！

吳永志

執筆於美國舊金山

二〇〇八年十二月二十四日

養生筆記

悅讀健康系列 49

不一樣的自然養生法：實踐100問

作　　者／吳永志（Dr. Tom Wu）
企劃選書／林小鈴
特約編輯／呂美雲
文字整理／簡敏育、楊如萍

行銷主任／高嘉吟
業務副理／羅越華
總 編 輯／林小鈴
發 行 人／何飛鵬
出　　版／原水文化
台北市民生東路二段141號8樓
電話：02-2500-7008
傳眞：02-2502-7676
原水部落格：http://citeh2o.pixnet.net
發　　行／英屬蓋曼群島商家庭傳媒股份有限公司城邦分公司
台北市中山區民生東路二段141號2樓
書虫客服服務專線：02-25007718；02-25007719
24小時傳眞專線：02-25001990；02-25001991
服務時間：週一至週五上午09:30-12:00；下午13:30-17:00
讀者服務信箱E-mail：service@readingclub.com.tw
劃撥帳號／19863813；戶名：書虫股份有限公司
香港發行／城邦（香港）出版集團有限公司
香港灣仔駱克道193號東超商業中心1樓
電話：852-2508-6231　傳眞：852-2578-9337
電郵：hkcite@biznetvigator.com
馬新發行／城邦（馬新）出版集團【Cite(M)Sdn. Bhd.(458372U)】
11, Jalan 30D/146, Desa Tasik,
Sungai Besi, 57000 Kuala Lumpur, Malaysia.
電話：603- 90563833　傳眞：603- 90562833

封面設計／劉亭麟
版面設計／劉亭麟
美術編輯／楊如萍
內頁插畫／盧宏烈
製版印刷／科億製版股份有限公司
初　　版／2009年1月19日
初版57刷／2010年8月27日
定　　價／250元

城邦讀書花園
www.cite.com.tw

ISBN 978-986-7069-88-7

國家圖書館出版品預行編目資料

不一樣的自然養生法：實踐100問／吳永志著.——
初版——臺北市：原水文化出版：
家庭傳媒城邦分公司發行，2009.01
面； 公分——（悅讀健康系列；49）

ISBN 978-986-7069-88-7（平裝）

1.生機飲食 2.健康飲食 3.食療 4.養生 5.問題集
418.914022 97025671

讀者回函 HD3049

親愛的讀者你好：

為了讓我們更了解你們對本書的想法，請務必幫忙填寫以下的意見表，好讓我們能針對各位的意見及問題，做出有效的回應。

填好意見表之後，你可以剪下或是影印下來，寄到台北市民生東路二段141號5樓，或是傳真到02-2502-7676。若有任何建議，也可上原水部落格http://citeh2o.pixnet.net留言。

本社對您的基本資料將予以保密，敬請放心填寫。

姓名：__________ 性別：□女 □男

電話：__________ 傳真：__________

E-mail：__________

聯絡地址：__________

服務單位：

年齡： □18歲以下 □18~25歲 □26~30歲 □31~35歲 □36~40歲 □41~45歲 □46~50歲 □51歲以上

學歷： □國小 □國中 □高中職 □大專/大學 □碩士 □博士

職業： □學生 □軍公教 □製造業 □營造業 □服務業 □金融貿易 □資訊業 □自由業 □其他__________

個人年收入： □24萬以下 □25~30萬 □31~36萬 □37~42萬 □43~48萬 □49~54萬 □55~60萬 □61~84萬 □85~100萬 □100萬以上

購書地點： □便利商店 □書店 □其他__________

購書資訊來源： □逛書店／便利商店 □報章雜誌／書籍介紹 □親友介紹 □透過網際網路 □其他__________

其他希望得知的資訊：（可複選）
□男性健康 □女性健康 □兒童健康 □成人慢性病 □家庭醫藥 □傳統醫學 □有益身心的運動 □有益身心的食物 □美體、美髮、美膚 □情緒壓力紓解 □其他__________

你對本書的整體意見：

請沿虛線剪下後對摺裝訂寄回，謝謝！

請沿虛線剪下後對摺裝訂寄回，謝謝！

廣告回信
北區郵政管理局登記證
北台字第10158號
免貼郵票

城邦出版集團 **原水文化事業部 收**

104 台北市民生東路二段141號5樓

HD3049

不一樣的自然養生法：
實證100問

我的腫瘤不見了

文／黃秀媛小姐（乳癌康復患者）

人往往在失去時才會覺得可貴，才學會珍惜任何事情，尤其是健康方面，當身體健康時，對於時下流行的養生及預防醫學是聽不進去、無關緊要的，偶爾聽到或見到朋友得了癌症，痛不欲生時，總是心存僥倖的告訴自己：「還好不是我……」一直抱持著這樣消極想法。

二〇〇八年四月十四日應是我人生中最晦暗的日子，因爲就在那天晚上摸到左乳房有顆奇硬無比的腫塊，當下有股不祥的感覺，「不會是癌症吧？」四月十八日的報告確定是三期乳癌，腫瘤約四公分乘以二公分。我很鎮靜的走出醫院，內心如五雷轟頂般，心想著「孩子及先生怎麼辦？接下來的日子要與癌共舞？開刀、化療、復發、轉移一連串的循環，這會是人應該過的生活嗎？我怎能讓孩子及先生看到我這樣的人生呢！」

此時，我的先生在電視上看到于美人訪問吳醫師不一樣的自然養生法，節目中談到吳醫師因自己得了癌症，透過自然療法康復了，進而推廣幫助更多的人，免於痛苦及死亡的陰影……當下有個聲音告訴我這個醫生可以救我。

可貴的是，患難見眞情，先生對我不離不棄，積極的幫我追蹤吳醫師的消息，不斷的發Email、傳眞，爲的是讓我身體康復，在還沒找到吳醫師時，我先按照書上的食譜，開始喝防癌強身蔬果汁、吃沙拉、洗冷熱浴，每天快走一小時，我深刻體會只有三百六十度翻轉原有的生活，才能徹底改變體質、作息，才有機會恢復健康，如此執行了一個月，終於找到了吳醫師。

他就像父親般解說如何喝蔬果汁，讓身體排毒，吃沙拉讓身體得到養分，冷熱浴及快走提升身體的免疫力，爲了健康丟棄之前所有的壞習慣（吃錯食物、缺乏運動及給自己壓力）。

過程中，內心的苦不是外人可以體會，我堅信只要能康復，再苦我絕對可以忍，一定可以撐過去。

一位癌症病患不接受西醫治療，而選擇另類療法，除了得要有強烈的意志外，還需家人的支持與認同，很慶幸地我有先生的支持，但也遭受到兄弟姐妹及公婆的壓力與質疑，甚至演變到彼此互不往來……但我的意念沒有因此而動搖。

對吳醫師的信任支撐我度過非常時期，二〇〇八年十月底，我再度回大醫院檢查，腫瘤由四公分乘以二公分，變爲二公分，竟然變小了，內心實在很興奮，眞的有效，我告訴自己得再努力，再加油！十一月底再度回診，腫瘤更小了，變成一公分，我更有信心了。

打電話給非常關愛我們的大姐，她是一位痲醉師，因我選擇另類療法而與她翻臉。告訴她這個好消息時，她激動落淚。二００九月一月再度回診，腫瘤完全消失不見了。醫生也覺得不可思議，腫瘤怎麼會就此憑空消失？在西醫觀點中，腫瘤只會長大，不可能消失。在沒做任何西醫治療情況下，醫師問我吃了些什麼？答案就在於《不一樣的自然養生法》書中。

回首過去的日子，心中充滿感恩，因罹癌讓我找回失去的健康，珍惜家庭的美滿，也讓我重新思考，老天爺留下我，應是要我幫助更多的人，走出罹癌的陰影，倡導生機飲食吧？想想在我生命的轉彎處，我可以用健康的心態，來面對複雜的人際關係，人生處處有愛，處處有溫暖，我的命是吳醫師救回來的，對於吳醫師，感恩之情銘記在心。

「意念、持續、相信」這三種力量，在抗癌時堅定支持著我。有時在努力過程中，難免有些沮喪，但罹患癌症的人是沒有沮喪的權利，一時的灰心可以，但得馬上轉化成養分灌溉枯竭的心靈，「相信」的力量再加持，身體的免疫力一定會再活過來的。

我曾歷經車禍開刀，頸椎第二節至第六節裝了七根鋼釘，就像機器人般的不靈活，又面對癌症的威脅，我從沒怨天尤人，除了接受與面對外，我們也努力尋找貴人吳醫師。關於報章雜誌的負面報導，對我而言，謠言止於智者，一個人願意助人將愛心化爲大愛，是應該受到敬重的，我的家人永遠感激吳醫師。

蔬果類 Vegetables and Fruits

甜菜根（甜菜頭）
Beet
中譯：紫菜头

詳見P.73

蘆筍 / Asparagus
中譯：芦笋
港譯：西洋筍

詳見P.121

紅蘿蔔
Carrots
中譯：胡萝卜

詳見P.117

玉米
Corn
中譯：蜀米

詳見P.34

西洋芹
Celery
中譯：西芹

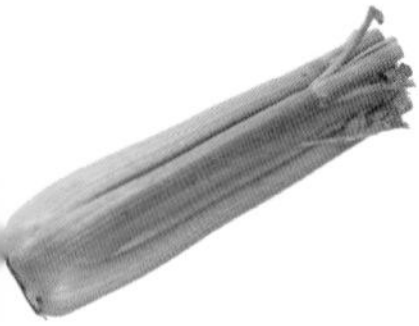

詳見P.123

苦瓜
Bitter Melon
港譯：涼瓜

詳見P.193

綠花椰菜 / Broccolis
中譯：绿菜花
港譯：西蘭花

詳見P.85

紫色包心菜
（紫甘藍）
Purple cabbage

詳見P.126

百葉薊（朝鮮薊）
Artichoke

詳見P.128

紅皮小白蘿蔔
Radish
中譯：櫻桃萝卜

詳見P.55

南瓜
Pumpkin

詳見P.194

小黃瓜
Cucumber

詳見P.193

苜蓿芽
Alfalfa

詳見P.180

西洋菜（豆瓣菜）
Watercress

詳見P.129

牛蒡
Burdock Root

詳見P.79

發芽黃豆
Sprouted soy beans

詳見P.102

甜椒
Pepper; Bell pepper

四季豆
Beans

菠菜
Spinach

詳見P.88

君達菜（豬母菜）
Swiss Chard
中譯：牛皮菜

詳見P.111

蔬果類 Vegetables and Fruits

草莓
Strawberry

詳見P.127

青檸檬
Lime

詳見P.133

櫻桃番茄（小番茄）
Cherry tomatoes
中譯：圣女果、小西红柿

詳見P.130

番茄
Tomatoes
中譯：西红柿

詳見P.115

酪梨
Avocado
港譯：牛油果

詳見P.65

枸杞
GoJi Berry;
Lycium barbarum

詳見P.128

蔓越莓（小紅莓）
Cranberries

詳見P.83

藍莓
Blueberry

詳見P.82

櫻桃
Cherry
港譯：車喱子

詳見P.84

柳丁
Orange
中譯：橙子

詳見P.133

馬士加丁葡萄
Muscadine grapes
中譯：提子

詳見P.131

奇異果
Kiwi
中譯：猕猴桃

詳見P.202

辛香料 Spice

香菜
Cilantro
港譯：芫茜

詳見P.110

九層塔
Chinese Basil
中譯：罗勒

詳見P.118

大蒜和老薑
Garlic & Ginger

詳見P.107

迷迭香
Rosemary

詳見P.118

巴西利（洋香菜）
Parsley
中譯：法香

詳見P.127

薄荷
Mints

詳見P.48

蜂花粉
Bee Pollen

詳見P.135

葫蘆巴粉
Fenugreek
中譯：香豆粉

詳見P.170

小茴香
Cumin

詳見P.170

丁香粉
Clove powder

詳見P.170

肉桂粉
Cinnamon powder

詳見P.191

卵磷脂
Lecithin

詳見P.175

堅果類 Nuts

杏仁
Almond

詳見P.85

核桃
Walnut

詳見P.203

巴西堅果
Brazil Nut

詳見P.136

南瓜子
Pumpkin Seeds

詳見P.86

亞麻子
Flax seeds

詳見P.132

榛果
Hazel Nuts

詳見P.137

松子
Pine nut

詳見P.176

芝麻
Sesame Seeds

詳見P.133